조용하게 눈에 띄고 싶어

조용하게 눈에 띄고 싶어

이새봄

전현우

여지원

이재선

이지현

강라연

steel LEE

예전에는 열심히만 살면 될 줄 알았는데, 정신 차리고 보니 '열심히'로는 안 되는 세상이 되어 있었습니다. 특히 요즘은 주어진 일만 해서 되는 게 아니라 그 이상을 해내야 겨우 살아갈 수 있는 시대기도 하지요. 그래서 우리는 나를 현실에 가둬둔 채 이 세상을 살아가고 있었습니다. 내 가슴속에 품은 것이 무엇인지 모른 채로요.

그러던 어느 날, 우리는 마음속의 작은 불꽃을 발견했습니다. 작지만 외면하기 어려운 불꽃이었습니다. 결국 '이 불꽃을 어떻게 해야 할까?' 하고 고민하던 사람들이 모였습니다. 서로 소중히 불꽃을 품은 채였습니다. 우리의 불꽃은 불꽃의 색도 크기도 달랐습니다. 어떻게 해야 이 불꽃을 꺼뜨리지 않고 키울 수 있는지도 몰랐지요. 같은 것이 있다면, 이 불꽃을 꺼뜨리고 싶지 않다는 우리의 열망이었습니다.

이 책의 제목도 그런 마음이 담겨있습니다. 불꽃이 너무 커진다면 내가 조절하기 힘들어져 나 자신을 불태울 수도 있습니다. 또 너무 밝은 빛 때문에 눈이 멀 수도 있겠죠. 그럼에도 다른 이들에게 우리의 불꽃을 보여주고 싶었습니다. 우리는 짧은 시간이지만 서로의 불꽃을 태우고 지켜보며 성장해왔습니다. 그렇게 완성된 불꽃은 크고 훌륭할 수도 있고, 작고 희미할 수도 있습니다. 어떤 이는 우리의 불꽃을 보고 비웃을 수도 있겠지요. 하지만 이 불꽃을 세상에 내놓는 데에 큰 의미가 있다고 봅니다. 누군가는 아직도 자신이 불꽃을 지닌 지 모른 체 살아가고 있을 테니까요.

당신의 불꽃이 호롱불이든, 촛불이든, 모닥불이든 상관없습니다. 다만 이 책을 읽은 당신이 마음속의 불꽃을 외면하거나 놓치지 않았으면 합니다. '열심히' 사는 것도 필요하지만, 당신의 행복에 불을 지펴줄 불꽃도 필요하니까요. 우리의 글이 또 다른 불꽃을 피워내는 데에 도움이 되었으면 합니다.

- 공동저자 中 여지원

차 례

너의 D로부터

이새봄

이새봄 아직 철 없다는 소리를 듣지만

사회적 나이는 이미 성인인 사람

글을 잘 쓰지는 못하지만

뭔가를 자주 끄적거리는 사람

책에서 신기한 이야기를 만나는걸 좋아하지만

정작 독서가 취미는 아닌 사람

책에 나오는 주인공을 만나고 싶어하지만

또 막상 만나면 싫을 것 같은 사람

Death : 죽음

Demon : 괴물

Down: 아래의

Decrease: 감소, 하락

Dumb : 멍청한

Dust : 먼지

Dirty : 더러운

Devil : 악마

Darkness : 어둠

Decay : 부패, 부식

Damage : 손상

Drop : 떨어지다

Dung : 똥

Dangerous : 위험한

Diet : 다이어트

Dot : 점

Doll : 인형

Desire : 욕구, 갈망

Dance : 춤

Delight : 기쁨

Door : 문

Decision : 결정, 판단

Dream : 꿈

Daughter : 딸

Do : ~을 하다

Daddy : 아빠

Difference : 차이, 다름

Day : 오늘

Daylight : 햇빛

Destiny : 운명

Daily : 매일의

"우와! 빛이다!"

"정말 얼마 만에 책 앞장 종이 냄새 말고 신선한 공기인지 모르겠어."

"손으로 구멍 좀 가리지 말아줄래?"

"아니 너 말이야, 너! 지금 글 읽고 있는 너! 오른손으로 구멍을 가리고 있잖아! 좀 치워봐."

"휴, 고마워. 이제 좀 살 것 같네"

"나 지금 너한테 말을 걸고 있는 건데, 굳이 따옴표는 매번 안 해도 되지?"

"따옴표 빼는 게 뭐였더라….'"

「엥? 따옴표 빼려다가 더 이상한 표시가 되어버렸네」

「아니 아니, 잠깐 눈알 다른 데로 굴리지 말아봐.」

「여기 나한테 집중해.」

좋아! 됐다. 이제야 추가 기호 없이 너에게 그냥 말을 걸 수 있겠어.

구멍에 얼굴 좀 가까이 와볼래? 나 좀 자세히 봐봐. 나 보여?

지금! 눈 마주쳤는데! 혹시 나 안 보여?

D: *"D! 지금 그렇게 흥분해서 말하면 놀라잖아"*

D: *"그렇지만 너무 오랜만에 이렇게 말 거는 데에 성공한 거라고."*

D: *"다른 D 없어? 얘는 지금 너무 신난 것 같아"*

D: "나! 나! 내가 말해 볼게."

안녕? 난 D라고 해.

방금 네가 봤다시피 우린 책에 이 구멍 안에 살고 있어.

이곳엔 여러 D들이 있어. 우리 전부 D라고 불려.

보시다시피 생긴 건 다 다르지만 모두 D야.

현실감 없겠지만, 지금 내가 너에게 말을 걸고 있는 거야.

책을 통해서 말이지.

자꾸 말도 안 된다는 듯이 우리가 있는 구멍을 성의 없이 쳐다보는 것 같은데, 너한텐 그냥 일반 종이 위에 시꺼면 점(Dot)으로 보일 수 있어도 우린 지금 그 안쪽에서 살고 있거든?

우리는 지금 네가 똑똑히 보인다고.

아! 참고로…. 지금 다른 사람 보기 전에 살짝 말해주는데,

너…. 콧속 좀 정리해야겠다.

손으로 얼른 좀 닦아봐….

그래그래. 조금 깨끗해졌다.

너무 경계하거나

그렇게 어색해할 필요는 없어.

우린 그렇게 나쁜 D들이 아니거든.

우리가 너를 너무 오랜만에 보기도 했고,

밖을 보는 것도 오랜만이라 조금 신나서 그래.

이해해줘.

근데 요즘 이래저래 힘들었나 봐?

여러 가지로 바빴던 건가?

얼굴에 스트레스가 조금 쌓여 보이네.

뭐 다들 사는 게 똑같이 힘들다고는 하는데,

유독 눈도 충혈된 것 같고, 좀 지쳐 보인다.

목마르진 않아? 그럼 지금 일단 물 한 모금 마시ㅅ.

아니 커피 말고 물을 마셔.

하루에 물을 좀 어느 정도 마셔줘야 건강하대.

너도 분명 TV에서 봤었잖아. 건강 프로그램에서 전문가가 나와서 물 잘 마시면 몸에 좋다고 막 설명하고 그랬었잖아. 네가 그 프로그램을 보다가 금방 다른 채널로 넘어가서 끝까지 보지는 못했었지만, 그런 걸 봤었던 건 기억하지? 우리끼리니까 이렇게 네 걱정해 주는 거지, "완전 남"이었으면 이렇게 신경 써 주지도 않았을걸?

그래도 여기까지 내 얘기를 들어주는 것을 보니 이제 너도 슬슬 우리가 누군지 이해하려고 시도는 하는 것 같네. 그렇지? 그럼 이 책을 통해서 계속 너에게 말을 걸어볼게. 일단 우리랑 대화하다가 그렇게 중간중간 구멍을 가리지만 말아줘. 너는 무심코 가리는 것일지 모르겠지만, 구멍을 가려버리면 우린 너를 보거나 말을 걸 수 없거든.

어어? 그렇게 장난으로라도 구멍 가리려고 하지 마?

지금 네게 말을 걸고 있는 내 소개를 조금 더 해보자면, 난 D야.

다른 D들 보다 키는 좀 작은데, 까치발 들면 거의 비슷해.

보시다시피 뱃살도 조금 있는 편이고, 몸매가 완벽하지는 않아.

아니 실은, 내가 혼자 샤워하고 나서 거울 보면 그때는 꽤 괜찮다고 생각되거든? 근데 막상 옷 입고 나가서 보면 이상하게 조금 멋이 없달까? 하여튼 어떤 부분에선 조금 소심하고, 엄청나게 자신감이 있는 편도 아닌데 그걸 주위에 들키기는 싫다는 마음이 있어서 괜히 더 나대고, 친구들도 더 만나고, 더 세 보이게 행동하는 것 같아. 솔직하게 말하면, 혼자 있을 때 확실히 편하기는 한데, 또 너무 혼자만 있는 건 싫다나고 할까? 주말에 약속이 풀로 꽉 차 있는 것도 좋은데, 약속이 하나도 없는 것도 좋아. 살찌는 게 너무 싫기는 한데, 또 탄수화물을 입에 한가득 넣고 먹는 그 행복감이 좋기도 해. 난 그냥 평범한 D야. 정말 평범한데 그렇다고 아주 평범하지만은 않고 싶은 그런 D.

실은 우린 전에도 만난 적이 있어.

내가 너를 만났을 때는 내가 구멍에 있지 않았었어.

우린 거기, 네가 있는 그곳에 함께 있었어.

정말 즐거운 시간을 함께 보내곤 했었는데, 기억나려나?

D: '표정을 보니 우리가 만난 걸 전혀 기억 못 하는 것 같은데….'

어라? 이거 내가 속으로 하는 생각이 너한테 바로 글자로 노출되네?

이런 기능이 있는 줄은 전혀 몰랐었어! 신기하다!

이제 내 속마음도 그대로 다 보이는 것도 알았겠다, 이왕 이렇게 된 김에 그냥 내가 투명하게 너에게 모든 것을 터놓고 있는 것으로 믿어 줬으면 좋겠어.

나는 너를 해하거나, 곤경에 빠뜨리려는 게 아니야.

내 속마음만 봐도 알겠지만, 전혀 거짓은 없어.

D: '내가 생각해도 글로 나오려나?

오! 이거 생각만 해도 막 글로 나오는 거였어? 짱이다!'

D: '쟤는 자기만 잘난 줄 알아…. 짜증 난다 정말.'

D: '매일 놀기만 하고 잠만 자고 싶다. 게을러지고 싶어'

D: '*, **, ****, **, *** (욕)'

D: '지금 날 무시하는 건가? 기분 나빠.'

D: '왠지 우울해…. 그냥 전부 세상이 그냥 망해 버렸으면…'

D: "아니 얘들아. 너희가 그렇게 무수하게 생각을 다 표현해 버리면 우리가 대화를 나눌 수가 없어.

D: "모두 쉿! 다들 각자의 생각은 멈춰줘!"

미안, 미안.

D들 모두 너랑 얘기하고 싶어서 구멍 앞에 모여있었더니 각자 속마음이 다 흘러나와서 여기 이 종이에 표시가 되는구나. 다들 내가 대화할 수 있도록 도와주고 있어.

우리가 조금 산만하고 시끄러울 수 있는데, 최대한 노력해볼게.

다시 한번 말하지만, 우리 모두 너를 만난 적이 있어.

D들 모두 각자 다른 시기에 다른 모습으로 너를 만났었어.

네가 아주 어렸을 때,

집에서 숨바꼭질하다가 옷방에 숨은 적이 있잖아.

넌 옷방에 숨는 걸 좋아했어.

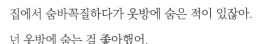

조금은 오래되어서 세련되진 않지만, 정이 들어 버리지 못하는 옷들의 익숙한 사람 냄새나 은밀하면서도 따뜻하게 아늑했던 옷장의 느낌이 좋았나 봐. 그때 넌, 술래가 널 찾지 못하도록 제대로 완벽하게 숨기를 바라면서도, 혹시나 너를 발견하지 못한 채 너 없이 계속해서 게임이 진행될까 봐 불안했었잖아. 그래서 나름 꼭꼭 잘 숨어 있으면서도 술래가 네 근처에서 진짜로 못 찾고 지나치는 것 같으면 괜히 놀라게 해 주려고 하는 것처럼 "워!"하면서 튀어나오곤 했었잖아. 그때 우리 같이 있었어. 내가 분명히 네 옆에서 "3..2....1.. 지금!"이라고 딱 맞게 카운트해줘서 술래를 놀라게 하러 나갔었잖아.

이건 너무 오래전 일이라 기억 안 나려나?

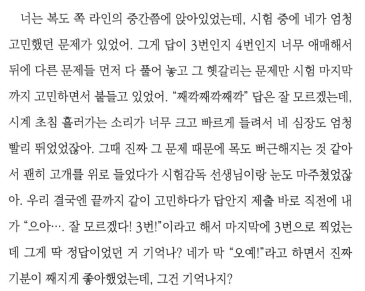

그럼 이건?

네가 중학생 때였는데, 중간고사 시험 기간이었어.

뭐였더라 국어 시험이었나?

너는 복도 쪽 라인의 중간쯤에 앉아있었는데, 시험 중에 네가 엄청 고민했던 문제가 있었어. 그게 답이 3번인지 4번인지 너무 애매해서 뒤에 다른 문제들 먼저 다 풀어 놓고 그 헷갈리는 문제만 시험 마지막까지 고민하면서 붙들고 있었어. "째깍째깍째깍" 답은 잘 모르겠는데, 시계 초침 흘러가는 소리가 너무 크고 빠르게 들려서 네 심장도 엄청 빨리 뛰었었잖아. 그때 진짜 그 문제 때문에 목도 뻐근해지는 것 같아서 괜히 고개를 위로 들었다가 시험감독 선생님이랑 눈도 마주쳤었잖아. 우리 결국엔 끝까지 같이 고민하다가 답안지 제출 바로 직전에 내가 "으아…. 잘 모르겠다! 3번!"이라고 해서 마지막에 3번으로 찍었는데 그게 딱 정답이었던 거 기억나? 네가 막 "오예!"라고 하면서 진짜 기분이 째지게 좋아했었는데, 그건 기억나지?

한번은 너 그런 적도 있었어.

네가 잠자리에 들었는데 그 날따라 조금 피곤했었는지 누워있는 침대에서 뒤로 빨려 들어가듯이 잠이 드는 거야. 마치 물속에 잠기는 것처럼 혹은 우주에 떠 있는 상태가 되듯이 뒤로 한참을 빨려 들어가는 기분이 들면서 잠이 들어버렸어. 나는 네가 그냥 그렇게 엄청 깊은 잠에 드는 것인 줄 알았는데 갑자기 어느새 주위는 꿈 속 안으로 변해있었어.

에 띄고 싶어

광고지 같은 게 붙었다가 떨어졌는지 짧은 청테이프 자국들이 덕지 덕지 남아있는 빛바랜 벽돌로 된 빌라와 주택이 있는 어떤 길이었어. 정확히 어디인지는 모르겠지만 어딘가 묘하게 익숙한 골목이었어. 그러다 네가 갑자기 뭔가에 쫓기는 상황인 거야. 나도 너무 놀라서 너랑 같이 뛰느라 뭐에 쫓기는 것인지도 잘 모르겠어. 하여튼 우린 빨리 도망가고 싶은데, 왜인지 몰라도 꿈속 안에서 잘 안 뛰어지는 거야. 자꾸 다리만 슬로우모션이 된 것만 같이 천천히만 움직이고 무겁고 둔했어. 주위에 다른 사물들은 안 그런 것 같은데, 우리만 마치 가위눌린 듯이 무언가 너무 느리고 답답하게 움직여졌어. 빨리 도망쳐야 해서 마음이 급하고 긴박한 상황이었는데 왜 그렇게 슬로우가 걸렸는지 모르겠지만 우린 필사적으로 도망쳤었어. 그러다가 잡히기 바로 직전에 잠에서 화들짝 깨어났었지.

기억나? 잘 모르겠어?

넌 꼭 꿈꾸고 나서 잠에서 깨면 꿈 내용을 잘 기억을 못 하더라고.

아직 내가 누군지 모르겠어?

너는 성격이 급해서 이제 좀 답답할 수도 있으니

직설적으로 표현해보자면,

우린 모두 일종의 너야.

너의 지나간 순간의 모습들이랄까?

하나하나의 D들 모두 너의 조각이고

파편들이라고 할 수 있어.

너는 기억하지 못할지도 모르겠지만 여기 각자의 D들은 예전의 너의 모습이라고 할 수 있지. 지금의 너를 그 모습으로 있게 한 지난날의 너의 모습들이야. 멋지고 좋은 모습의 D들이 있기도 하지만 네가 절대 다시 꺼내보고 싶지 않은 너의 모습을 한 D들도 있을지도 몰라. 실은 대부분의 멋진 D들은 지금 너와 그곳에 아직 함께 있는 것 같아.

이 구멍 안에선 그 친구들을 본 적이 없거든.

하! 정말 이 기분을 어떻게 설명해야 할지 모르겠지만,

우린 정말 오랜만에 만났어.

여러 번 네게 우리를 알리려고 노력해봐도

너에게 잘 닿지 않았았는데,

정말 우연히 이렇게 이 책으로 만나게 된 거야! 정말 운명처럼!

그래서 말인데 우리를 좀 도와줄 수 있어?

우릴 이곳에서 꺼내 줄 수 있어? 어?

이런! 제기랄.

망할 구멍이 우리 대화를 방해하려 하네.

어떻게든 내가 너에게 말 거는 것을 방해하는 것 같은데. 아니 소리 들려? 내 소리 말 들려?

D: '아 이놈의 구멍 진짜 왜 이러는 거야.

지금 진짜 중요한 얘기를 하는 순간인데. 저리 좀 멀리

아, 내가 좀 성격이 급해서 속마음이 막 튀어나와 버렸네.

이제 구멍이 가리는 것도 없으니 다시 말해도 되겠다.

그러니까 하고 싶었던 이야기는…

나를 조금만 도와줬으면 좋겠어.

아. 아니다! 우리! 우리 모두 전처럼 너와 그곳에 있고 싶어.

 D들 모두 지나간 날의 너의 모습이니까,

예전 그때처럼 또 같이 너와 함께하고 싶어.

구멍을 통해서 보이는 지금 네 모습도 뭐 꽤 좋아 보이긴 하는데,

예전의 너의 모습도 나쁘진 않았잖아? 어때?

에이. 그런 심드렁한 표정 짓지 말고. 진짜 딱 한 번만 도와줘. 이 구멍 안은 너무 어둡고, 답답하고, 시간이 멈춰있는 듯한 그런 곳이란 말이야. 구멍 안에 우리 D들이 지금 네 모습과는 달라 보이지만 전부 너였잖아. **우릴 자꾸 이렇게 묻어두기만 할 거야?**

근데 애초에 D들이 왜 이 구멍 안에 갇혀 있냐고?

내가 설명해도 잘 이해가 될지 모르겠지만,

우린 지난날의 너의 모습들이라고 했잖아.

예를 들어 네가 초등학교 때 그림일기로 그날 있었던 신나는 일들을 적어 놓고 그 일기장을 다 써버려서 어디에 두었는지 모르겠다거나, 사진을 찍고 나서 사진들을 어딘가에 보관만 해 놓고 다시는 꺼내 보지 않았다거나, 휴대전화를 잃어버렸는데 결국엔 복구되지 않았지만 크게 상관없었던 그 어떤 날의 데이터라거나, 혹은 네가 너무 부끄

럽거나, 슬프거나, 힘들어서 전부 잊고만 싶었던 과거의 그 어떤 순간이라서 다시는 세상에 언급되지 않았다거나 하는 그 모든 너의 지나간 조각들은 아예 없어지는 게 아니라 이렇게 하나하나 쌓여서 어딘가에 모여있어. 모두 너를 이루었던 조각들이어서 그것들이 마구 흩어져서 사라져 버린 것이 아니라 이렇게 어딘가에 옹기종기 모여서 네가 어떻게 살아가고 있는지 뒤에서 지켜보고 있었던 거야.

지금은 내가 책을 통해서 너에게 말을 거는 중이라 우리가 있는 곳이 이렇게 종이 위에 검은 구멍 형태로 보이는 것이지만 아마 내가 다른 매개체를 통해서 너에게 말 거는 데에 성공했다면 우리가 다른 모습으로 보였을지도 몰라.

최근에는 우리는 네 휴대폰을 통해 말을 걸어보려고 많이 시도했었어. 예전과는 달리 요즘 네가 휴대전화를 보고 있는 시간이 훨씬 길어졌더라고. 화면도 정말 크고 좋은 거로 쓰더라? **우린 네가 휴대전화를 쓰지 않는 상태일 때 아무것도 없는 검은 화면을 통해 네가 비치면 너를 볼 수 있었어.** 이 구멍에서 지금 너를 올려다볼 수 있는 것처럼 휴대전화의 검은 화면을 통해 네가 보이더라고! 문제는 우리는 휴대폰을 사용하지 않는 검은 상태에서만 너랑 연결될 수 있었다는 거야. 화면이 검은 상태에서는 너는 아무것도 볼 수 없었고, 우리도 너에게 어떤 말도 할 수가 없었어. 네가 우리와 이야기를 하려면 휴대폰을 켜서 대화를 볼 수 있어야 하는데, 화면을 켜면 우리는 너와의 연결이 끊어졌어.

응 맞아. TV로도 시도했었지. TV도 마찬가지야. TV를 켜지 않은 상태일 때, TV의 검은 화면 너머로 앞에 앉아있는 네가 종종 보였어. 그렇지만 역시나 TV가 꺼져있는 상태에서는 그 어떤 대화도 할 수가 없었지. 그저 그 너머로 네가 잘 지내고 있는지 안부 정도 확인할 뿐이었어. 우리 모두 이렇게 여기 구멍에 모여 널 보고 있는 것처럼, 검은 TV 너머로 널 구경하곤 했어.

아! 그래서 다시 말하자면,

우리가 여기 갇혀 있는 이유는 네가 우리가 나가는 것을 딱히 원했던 적이 없었기 때문이야. 우리는 네가 의도적이든 의도적이지 않든 간에 일단은 지나가 버린 어느 순간의 과거의 너의 조각들이고 우리는 네가 허락하지 않는 이상은 밖으로 나갈 수가 없거든. 쉽게 말하면…, 지금의 너는 우리의 존재 자체를 깜빡 잊고 살았던 것도 있었고, **그동안은 무의식적으로 우리 D들이 밖으로 나가서 지금의 너에게 다시 가는 것을 원하지 않았던 것 같아.**

그렇지만! 우리 이렇게 어렵게 다시 만났잖아!

너에게 말을 걸기에 성공하기까지 정말 어려운 도전이었지만 너와 다시 이야기할 수 있어서 너무 기뻐.

그래서 말인데 다시 한번 부탁할게. 우리를 좀 꺼내 줄 수 있겠어?

지금의 너의 모습보다 예전의 네 모습이 더 그리울 때가 있잖아.

우리가 지난날의 너의 모습들을 모두 다시 기억나게 해줄게!

너의 D로

방법은 간단해!

지금 보이는 검은 점들로 보이는 **구멍 중 하나를 살짝 구멍을 뚫어주면 돼.**

크게 뚫을 필요도 없어. 그냥 샤프 같은 거로 작은 구멍이나 틈을 내어줘. 그리고 우리가 나갈 수 있도록 **마음속으로 D를 풀어주겠다고 생각해 주면 돼!** 정말 간단하지?

부탁이야. 우리를 여기서 나갈 수 있게 도와줄 수 있는 건 너밖에 없어. 우리는 너를 절대 해치려고 하는 게 아니야. 그냥 예전과 같이 있었을 때로 돌아가려고 하는 것뿐이야. 조금 어렵고 힘들 때도 있었지만 과거의 우리와 함께했던 너의 모습은 참 재밌었잖아. 그치?

D: "얘 표정이 미묘한데? 우리를 꺼내줄지 말지 고민하는 것 같아."

D: "혹시 몰라! 우리를 위해 검은 점에 구멍을 뚫어줄지도 몰라! 얘들아 뒤로 물러서!"

D: "우리 밖으로 나갈 수 있는 거야?"

D: "뭐부터 하고 놀지? 너무 신난다!"

혹시 아직도 고민 중인 거야?

우리를 꺼내주는데 뭔가 마음에 걸리는 예전 일이라도 있어?

그럼 네 맘에 걸리는 그 과거 D는 여기 구멍에 묶어두고 나갈게.

우리한테 살짝 말만 해줘.

그런 D는 여기에 우리 다른 D들이 막아 줄게.

보시다시피, 이 점들은 점점
우리를 다시 이곳에 가두려고 해.
점점 커지고 많아지면서 너와 나의
대화를 방해하려고 하고 있어.

정말 한 번만 우릴 도와줘.
지금 저기 페이지의 제일 왼쪽 위에 보이는 점을 한번 살짝 뚫어봐.
응 맞아. 네가 방금 힐끗 봤던 그 왼쪽 위에 조금 작은 구멍.
그래그래. 지금 또다시 한번 쳐다봤던 그 구멍이야.
나를 믿고 한번 뚫어봐.
어떻게 네가 보고 있는 게 무엇인지 아는 거냐고?
아니 당연히 우리 모두 여기에서 널 보고 있으니까 네가 무엇을 보
고 있는지 알지.
그렇게 입 꾹 다물고 이상한 표정 짓지 말고 한번 뭐라도 해봐.
우리가 다시 만나면 너는 정말 즐거울 거야.

우리는 네가 구멍을 뚫으면서 혹시나 누가 다치거나 할까 봐,
오른쪽에 있는 큰 구멍 쪽으로 자리를 옮겨서 보고 있을게.
다들 이쪽으로 이동해서 모여있으니 우리 걱정은 마.
부탁이야.
정말 이렇게 부탁할게.
우리를 다시 세상 밖으로 풀어줘.

모두가 여기 이렇게 그쪽 바깥세상에서

너를 다시 만나기를 기다리고 있어.

정말 지금이야!

책을 뚫는 게 부담스럽다면 **저 구멍을 손톱으로라도 꾹 눌러 봐줘!**

꾹!!!!!!

손으로라도 그냥 눌러봐봐! 우린 정말 간절해!

부탁할게 !!!!

...................?

...........................?

저기, 손톱으로 더 세게 눌러 볼래?

아니 그렇게 성의 없게 툭툭 하지 말고.

진짜로 다시 한번 제대로 눌러 봐줘.

.......................?

가운데를 정확하게 더 세게 한번 눌러봐.

.......................?

안 되겠어.

뭔가 잘못된 것 같아.

조금 더 가까이에서 봐야겠다.

우리가 앞쪽으로 가까이 간다고

너무 놀라지 마.

우리 모두 다 같이 구멍 앞으로

몰려 있는데 혹시 우리가 보여?

제대로 눌러본 것 맞아?

분명 네가 우리를 위해 저 구멍을 눌러준 걸 본 것 같은
데,

어째서 아무 일도 일어나지 않는 건지 모르겠어.

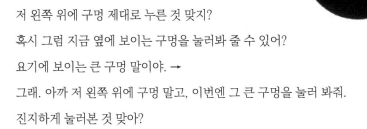

저 왼쪽 위에 구멍 제대로 누른 것 맞지?

혹시 그럼 지금 옆에 보이는 구멍을 눌러봐 줄 수 있어?

요기에 보이는 큰 구멍 말이야. →

그래. 아까 저 왼쪽 위에 구멍 말고, 이번엔 그 큰 구멍을 눌러 봐줘.

진지하게 눌러본 것 맞아?

눌렀어?

어때? 지금 뭔가 바뀐 게 있는 것 같아? 뭔가 느껴져?

아니 아니. 페이지 넘겨 보지 말고. 책이 바뀌었다는 말이 아니고
너 말이야.

뭔가 바뀐 거 같아? 아무 느낌도 없어?

뭔가 이상해. 분명히 이 방법이 통할 거로 생각했어.

아!!! 혹시!!!

너 저 옆에 점을 누를 때 내가 앞 페이지에서 말했던 "D를 풀어주겠
다"라고 진심으로 생각했던 거 맞아? 깜박하고 아무 생각 없이 막 휩
쓸려서 그냥 꾹 누르기만 한 거 아니지? 다시 한번 말하지만 우리는
네가 허락하지 않는 이상 밖으로 나갈 수가 없어.

우리 모두 결국 너의 과거 일부 조각들이기 때문에 네가 마음을 다해 우리를 다시 세상에 꺼내주겠다고 생각해야 겨우 나갈 수 있어. 온 마음을 다해 우리를 다시 불러주는 것 맞지?

근데 너…….

그 표정은 뭐야…?.

우리 다시 불러주려는 거 맞는 거지?

왜 그래…. 우리가 보고 싶지 않아?

왜 그냥 그저 그렇다는 표정이야…?

혹시 우리가 딱히 밖으로 나오지 않아도 된다는 거야?

너의 그 철 없었지만 밝고 신나던 예전 모습이 다시 그립지 않아?

즐거웠잖아. 지금 사는 그 모습보다 마음 편하지 않았어?

지금은 잘 연락 안 되지만 그때 함께 놀던 친구들도 보고 싶지 않아?

우리가 여기서 나가면 이 모든 걸 다시 전부 기억나게 해 줄게.

그때의 추억뿐만 아니라 감정도 모두 말이야.

그냥 이렇게 우리를 덮어버리지 말아줘.

우린 너를 응원해. 정말이야.

그냥 너와 그때로 한 번 더 돌아가고 싶을 뿐이야.

정말 나쁜 뜻은 없어.

시간이 없어.

점점 너와 대화할 수 있는 공간이 줄어들고 있는 것 같아.

조용하게 눈에 띄고 싶어

점점 구멍이 커지거나 많아지고,
점점 내가 말 할 수 있는 공간이 줄고 있어!
난 정말 이곳에서 나가고 싶어.
날 내보내 줘!!!

부탁이야!

날 내보내 줘!!!!

D: "D. 진정해."

D: "그렇지만. 이제 어떻게 해야 할지 모르겠어. 왜 날 꺼내주려 하지 않는 걸까? 과거의 본인의 모습을 한 우리가 이제는 보고 싶지 않은 걸까?"

D: "소리 지르지 말고, 심호흡을 좀 해봐.

지금 구멍 너머 쟤 표정을 좀 봐봐.

우리가 이렇게 떼쓴다고 그냥 우리를 여기서 꺼내 줄 표정이 아닌 것 같아. 그리고 지금 쟤는 생각지도 못하게 갑자기 우릴 만난 건데, 막무가내로 막 꺼내달라고 부탁하면 이런 상황이 얼마나 당황스럽겠어.

D: "그렇지만 우릴 여기서 꺼내준다면 그 당시의 모습과 기분으로 돌아갈 수 있을 텐데..!"

D: "응 맞아. 우리가 여기서 나간다면
우리가 함께 있었던 그 당시의 모든
감정이 되살아 날 수 있을 거야.
그렇지만 말야... 막상 지금 당장 예전
의 모습과 그때의 감정을 다시 다
되돌려주겠다고 하면 조금 심란
할 수도 있을 것 같지 않아?
그동안 너무 많은 일이 있어
왔잖아.
물론 즐거운 추억들이 많긴
하지만…. 다시 돌아가기
싫을 수도 있는 거잖아"
D: "왜? 지난날 즐거웠던
그 모습이 이제는 그립지
않은 거야? 즐거운 추억이
라면서?
예전의 본인의 모습을 한 우
리 D들이 더는 보고 싶지 않
은 거야?
아니면 이제는 지나간 자기 과거
를 다 잊고 싶은 거야? 난 쟤도
우리를 보고 싶어 하는 것인 줄 알았어!

왜 선뜻 우릴 꺼내줄 마음이 없는 거야?

난 정말 이해가 안 가.

이제 우리에겐 여기서 대화하기에

남은 공간과 시간이 별로 없다고!

지금 이 페이지를 봐.

우리는 점점 더 다시 이곳에

갇히고 있어!

난 정말 초조해.

어떻게 하면 좋지?"

D: *"내 얘길 좀 들어봐.*

난 비교적 최근에

이곳에 들어온 D야.

아마 너보단 더

최근까지 저 친구랑

함께 저 세계에

있었을 거야.

그래서 지금 우리가

보고 있는 저 표정에서

쟤가 무슨 생각을 하는지

조금은 이해할 수 있을 것만

같아.

너도 분명 알겠지만,

너의 D로부터 · 31

아마도 과거의 추억을 전부 다 잊어버리고 싶다거나,

예전에 내 모습이 꼴도 보기 싫다거나, 숨기고 싶은 게 너무 많다거나 해서 우리를 꺼내주지 않는 게 아닐 거야."

D: "그럼 뭐야?"

D: "아마도..

지금 이 순간, 조금 부족해 보일지는 몰라도

지금 저 모습이 소중해서 그래.

여기에 이렇게 많은 D들이 모여있는 것을 보면 알 수 있듯이,

그동안 책 밖의 '쟤'에겐 셀 수 없이 많은 일들과 다양한 경험이 있었어. 그리고 또 이렇게 여러 모습 들을 거치면서 지금 우리 눈에 보이는 저 모습이 되었거든.

네가 앞서 말했다시피 지금 저 모습이 예전보다는 조금 피곤해 보이고 고민도 많아 보일 수 있지만 지금 저 모습이 되기까지 나름 치열하게 자신만의 전쟁을 치러 왔다고 볼 수 있거든.

그래서 지나간 자신의 모습을 다 없애버리려 가둬 놓았다기보다는 이렇게 한구석에 쌓아 놓은 거야.

지금은 또 다른 모습으로 나아 갈 때이니까.

아마 그러다 언젠가 또 옛 생각이 나면 '그때 어땠더라' 하고 하나씩 꺼내서 볼 수 있도록 우리를 이렇게 **'보관'**해 둔 거야.

우리를 버리거나, 가둬 둔 게 아니야.

소중하게 감추어 **보관**해 준 거라고"

D: "넌 최근에 들어와서 우리 마음을 몰라!

지금 이게 얼마나 힘들게 만난 기회인지 넌 모를 거야!

혹시 이렇게 우리가 밖으로 나갈 기회를 잃어서,

앞으로 쟤가 영영 우리를 잊어버리면 어떻게 해?"

D: "그럴 일 없어. 우린 이미 "쟤"의 일부인걸. 정말로 혹시나

예전에 어떤 순간, 기억 혹은 어떤 D를 잊었다고 해도 그건 정말로

없어지는 게 아니라고 생각해. 지금 보이는 저 모습에는 모든 D들

*이 조금씩 녹아 있고 영향을 주었어. **우리가 모두 하나하나 쌓이고 연***

결돼서 지금의 저 모습을 만든 거야.

우린 버려지거나 잊힌 게 아니야."

D: "내가 "쟤"랑 언젠가 또 이렇게 만날 수 있을까? 다신 못 만나는

건 아니야? 지금 우리의 대화 공간이 점점 줄어들고 있는 것도 너무

초조해"

D: "나도 잘은 모르겠지만, 내 생각에는 우린 분명 또 만날 수 있을

것 같아. 여태 늘 그래왔듯, 우린 또 쟤가 잘 지내나 지켜볼 거잖아?

그러다 언젠가 또 기회가 되면 이렇게 마주 앉아 요즘은 어떤지, 예

전엔 어땠는지 이야기할 수 있는 날이 있을 거야."

D: "넌 나가고 싶지 않아?"

D: "나도 나가고 싶지.

*실은 나는... '쟤'의 **최근 일 들 중 가장 힘들고 어두웠던 모습을 가***

***진 D거든.** 아마 "쟤"의 주위 사람들은 잘 모르지만 혼자서 참 힘들었*

거든. 그래서 어쩌면, 지금은 이렇게 시간이 지나 그 힘든 것들이 조금

은 가라앉은 지금, 다시 날 꺼내어 그때의 모습과 감정을 다시 보고 싶

어 할 것 같지는 않아.

왜 그런 거 있잖아, 어떨 땐 과거로 돌아가고 싶다가도 '지금 내가 어떻게 여기까지 왔는데!' 하는 그런 마음. 지금은 시간이 많이 지나서 과거의 내 모습들이 마냥 편하고, 즐거워 보이고, 반짝반짝 찬란해 보일지도 모르겠지만, 또 막상 당시에는 여러 가지 고민 들과 문제들로 어려웠다는 거야. 그래서 그 당시의 모습과 감정을 다시 다 상기시켜 준다고 하면, 조금 그리우면서도 꺼려질 것만도 같아."

D: "그렇지만 우린 늘 이렇게 다시 만나기만을 기다리는 것 밖에 할 수 없는 거야? 무기력하게? 그럼 우린 너무 슬프잖아"

D: "기다리는 게 아니라 받쳐주고 있는 거야."

D: "우리가 쟤를?"

D: "응. 지금 보이는 저 모습보다 또 더 나은 모습이 될 수 있도록 **새로운 D들을 맞이해주고, 나쁜 D들은 여기에 꼭꼭 숨겨주고, 우리가 어딘가 너머에서 지켜봐 주고 응원해 주고 있는 게 우리 역할**인 것 같아."

D: "우리의 역할…? 우리가 다 함께 쟤를 이루는 거라고?"

D: "응. 우린 '쟤'를 계속 지켜주고 있는 거야.

"쟤"는 계속 변화하고 있으니까. 계속 앞으로 나아갈 수 있도록 힘들었던 기억과 좋지 않은 모습이 있는 나쁜 D들을 막아 주는 거지.

D: "그게 우리의 역할…."

D: "이제 이곳의 점점 시간이 없어지는 것 같아."

네가 힘들다면 내가 대신 인사를 건네볼까?"

D: "아니야. 내가 마무리를 지을 수 있게 해줘."

D: "괜찮겠어?"

D: "응…. 실은 안 괜찮은 것 같지만, 그래도 덕분에 조금 진정이 된 것 같아."

D: "안 괜찮아도 돼. 기회는 또 있을 테니까. 걱정하지 마"

구멍이 커지니 그래도 우리 대화가 제법
잘 들리지?

그러니까, 우린 진짜로 이 안에 있다니까?

아직도 못 믿는 거야?

아까 내가 얼굴 안 좋아 보인다고 했던 것은 너무 신경 쓰지 마.

생각보다 괜찮아.

이렇게 구멍 밑에서 보는 건데도 꽤 봐 줄 만했는걸?

그래도 너 카페인은 좀 줄이긴 해야겠더라.

커피는 좀 줄이는 게 좋겠어.

잊지 마.

물 꼭 챙겨 마셔.

그리고 너 특히 요즘 휴대전화로 시간 낭비하는 것도 좀 심한 것 같
더라? 지금도 계속 나랑 대화하면서도 문득 휴대폰 어디 있나 찾고 있
잖아?

아 그렇지 참!

지금 네가 지금 고민 중인 그 일들 말야,
그냥 얼른 이 구멍에 넣어버려.
우리가 그 신입 D들 여기에 들어오면 다시 너한테 가지 못하게 단
단히 묶어 둘게.
알았지? 우린 걱정하지 말고

아....
이제 정말 우리가 대화하는 이곳의 연결이 끊어지려고 해.

결국, 오늘 우리가 이곳에서 못 나간 건 참 아쉽고 슬프고
난 여전히 네가 그립긴 한데,

그래도 이렇게 다시 만나 정말 반가웠어. 이 말을 꼭 해주고 싶었어.

예전의 너의 모습도 반짝였지만,
지금의 그 모습도 나름 좋네.

우리
언젠가 다시 만날 수 있겠지?

너의 모든 D들이
이렇게 어딘가에 모여
앞으로의 너를

항상 응원하고 있을게.

건강하고.

Weather Maker Factory

전현우

전현우 16종류의 알바를 해보고, 4개의 직업을 가져본 20대 후반의 INTJ 청년. 가장 오래 일한 직업은 조리사와 제빵사. 다양한 업장에서 일하며 여러 가지 경험을 쌓았다. MBTI N답게 일상 속에서 언제나 상상의 나래를 펼쳐가며 살아간다. 다양한 관점으로 보고, 다양한 방법으로 생각한다. 청소년 소설과 성장 소설을 좋아하며, 가장 좋아하는 작품은 '미하엘 엔데' 작가님의 「모모」이다. 2023년 소설 「Reform」으로 데뷔했다.

인스타그램: @ywhy02
이메일: wjsgudwls2@naver.com

오늘은 드디어 '클라우드 센터'에 새로운 신입 직원이 들어오는 날이다. 원래라면 이미 한참 전에 들어왔어야 할 신입이었다. 하지만, 악덕 공장장 '스모그'가 일주일만 기다려 달라며 미루기를 한 달. 그동안 임시직 아르바이트생들로 어떻게든 공장을 돌리긴 했지만, 덕분에 난 쉬는 날도 거의 없이 거의 날마다 출근했다. 얼마나 힘들게 일했는지 오렌지빛과 빨간빛으로 반짝이며 타오르던 얼굴이 검붉은 빛으로 타버릴 지경이다. 하지만 그런 날과도 오늘부로 안녕이다. 반짝이는 주황빛 불꽃을 활활 불태우며 출근길에 올랐다.

일곱 빛깔 찬란한 색으로 빛나는 무지개 에스컬레이터를 오르자 '웨더 메이커 팩토리'의 전경이 보인다. 가장 가까이 있는 것은 '태양석 대장간'. 붉은빛 열기에 둘러싸인 기다란 막대들이 잔뜩 쌓여있어 뜨거운 열기가 여기까지 전해지는 것 같다. 하지만 괜찮다. 다이아몬드 방화벽이 열기를 차단해 주니깐 말이다. 쾅! 쾅! 불의 정령들이 뭉툭한 몸집을 흔들어 대며 뜨거운 막대에 망치질을 해댄다. 몇 번의 망치질을 거치고 나자, 막대는 다양한 형태로 모습을 바꿔나갔다. 타오르는 불의 기운이 스멀스멀 올라오는 육각기둥 태양 스틱, 얇디얇은 삼각형의 태양 조각. 거기다 태양 에너지에 여러 가지 금속들을 주입해 만든 노을 태양까지! 불의 정령들은 정말이지 대단하다.

조금 더 걸어가니 '번개 발전소'의 모습이 보인다. '깡! 깡!' 거대한 쇠구슬들이 맞부딪치며 묵직한 금속음을 만들어 낸다. 2개의 묵직한 덩어리들은 부딪칠 때마다 토도도독 소리를 내며 금빛의 구슬들을 쏟아냈다. 가운데 번개무늬가 있는 번개 구슬이다. 수십 개의 번개 구슬들이 쌓이자 '전기의 정령'들은 찌릿찌릿하며 거대한 2개의 자석 속으로 전기를 흘려보낸다. 쇠구슬들은 천천히 양쪽의 자석에 붙었고, 쇠구슬이 완전히 멈춘 걸 확인한 정령들은 번개 구슬을 향해 쏜살같이 달려가기 시작했다. 달리기를 멈춘 정령들은 각자 쥐고 있던 주머니 속으로 분주히 구슬들을 담았다.

"후에에에엥...."

계속해서 작업장을 향해 걷고 있었는데 저 멀리서 서글픈 울음소리가 들렸다. '눈꽃 과수원' 쪽에서 들리는 소리다. 깜짝 놀란 나는 소리가 나는 곳으로 달려갔다. 그곳엔 갓 성인이 된 듯 앳된 모습인 눈의 정령이 얼음물을 줄줄 흘리며 울고 있었다. 2개의 큰 눈덩이에 짜리몽땅한 팔다리가 붙어있는 모습의 아이는 연두색 목도리와 검은 털모자가 인상적이다.

"얘야, 괜찮니?"

손수건을 건네주며 아이에게 어찌 된 영문인지 물었다. 아이는 첫 출근날부터 길을 잃었다며, 무수히 많은 눈꽃 나무속에서 혼자 덩그러니 남겨진 두려움에 울음이 터졌다고 한다. 곤란했다. 어찌해야 좋을지 마땅한 방도가 떠오르지 않았기에 우선 아이의 소속을 물어보았다.

"오늘부터 '클라우드 센터'에서 일하기로 했어요...."

'클라우드 센터?' 뜬금없는 대답에 놀라 이름을 물어보았다. 아이는 자신의 이름이 '스노우'라고 말했다. 오늘 온다던 신입 직원의 이름이다.

"네가 이번에 들어온다던 신입이구나? 내 이름은 '플레어'야. '클라우드 센터'에서 '구름 메이커' 겸 총책임자를 맡고 있어."

스노우는 갑자기 정신이 번쩍 들었는지 울음을 뚝 그치며 나를 바라보았다. 5초 정도 나를 멀뚱멀뚱 바라보던 스노우는 나에게 이것저것 질문을 쏟아내기 시작했다. 갑작스러운 질문 공세에 당황한 나는 천천히 설명해 주겠다며 스노우를 데리고 작업장으로 출발했다.

"우와! 여기가 '클라우드 센터'인가요?"

깃털처럼 가볍고 새하얀 새털구름, 건조하게 메마른 사막 구름, 대량의 물 구슬을 집어넣어 묵직한 몸뚱이를 자랑하는 안개구름 등등 다양한 종류의 구름이 보인다. 스노우는 두 눈을 반짝이며, 정신없이 두리번거렸다.

지금까지 정말 수많은 종류의 구름을 조각했다. 처음에는 서툴러서 실수도 많이 했지. '에너지 가드너' 장갑을 끼지 않은 채 우박 구름을 만지는 바람에 우박이 불에 녹아버려 물난리가 날뻔한 적도 있었던가? 지금 생각해 보면 그런 사소한 것 하나하나가 모여 지금의 나를 만든 게 아닐까? 추억에 젖어 잠시 생각에 잠겨 있었는데 스노우가 다시 말을 걸었다.

"플레어 선배님?"

"아, 그래. 업무를 알려줘야지. 일단 발주서를 볼까?"

스노우에게 발주서 보는 법, 구름을 조각하는 요령, 구름을 건조할 때 주의해야 하는 점 등을 알려주었다. 처음의 어리숙한 모습과는 달리 스노우는 제법 요령이 좋은 녀석이었다. 신입답게 간간이 실수하기도 했지만 말이다. 실수할 때마다 스노우 머리의 눈은 살살 녹아 흘러내렸고, 주르륵하며 모자도 미끄러져 내려갔다. 녀석을 보고 있자니 슬며시 예전 기억이 떠올랐다.

어렸을 적 나는 불의 정령이라는 사실이 너무나도 싫었다. 내 몸의 불꽃들은 걸핏하면 휙휙 튀어 오르기 일쑤였다. 마치 태양의 플레어처럼 말이다. 어른들은 불 조절이 능숙했지만, 나에게는 그것이 너무나도 어려운 일이었다. 그 때문에 주변 아이들은 내게 다가오길 꺼렸고, 나는 점차 외톨이가 되어갔다.

그렇게 외롭던 어린 시절을 보내던 내가 막 학교에 다니게 되었을 무렵, 세상에는 큰 변화가 일어났다. 그것은 바로 '에너지 가드너'라는 옷이 개발되었다는 사실이다. '웨더 메이커 팩토리'라는 회사에서 만들어진 이 옷은 아주 특별했다. 이 옷은 투명한 유리 원단으로 만들어졌고, 착용자의 움직임에 맞춰 고무처럼 늘어났다. 가장 큰 특징이 하나 더 있는데 바로 정령들의 원소 특성을 제어해 준다는 사실이다.

불을 잘 제어하지 못했던 나도 이 옷 덕분에 학교에 다닐 수 있게 되었다. 물론 처음에는 장갑과 모자까지 전부 꽉 껴야 했기에 조금 답답한 면도 있었다. 하지만 주변과 어울릴 수 있다는 기쁨을 알게 되면서부터 나의 내성적인 성격도 변하기 시작했다. 학교에서 정령의 특성에 대해 심도 있는 교육을 들으며, 잿빛으로 까맣게 타버리는 훈련을 거듭한 끝에 드디어 불을 능숙히 다룰 수 있게 되었다.

그리고, 이 '에너지 가드너'를 만든 장본인이 바로 이 공장의 공장장 '스모그'다. 나는 그 사실을 알게 되었을 때부터 스모그 공장장을 동경하며 열심히 공부했다. 나도 언젠가 스모그를 뛰어넘는 정령이 되어 스모그가 내게 주었던 감동을 다른 정령들에게도 재현해 주고 싶었다. '웨더 메이커 팩토리'에 입사하는 것은 결코 쉬운 일은 아니었다. 하지만 온몸의 불씨가 새까맣게 탈 정도로 노력을 거듭하며 공부에 매진한 결과, 마침내 웨더 메이커 팩토리에 입사하는 데 성공했다.

첫 출근 전날 밤은 너무 두근거려 제대로 잠도 자지 못했다. 드디어 동경하던 '스모그' 공장장을 내 두 눈으로 볼 수 있다는 설렘에 두 눈이 너무 말똥말똥했기 때문이다. '에너지 가드너'가 처음 세상에 소개되었을 당시의 신문 기사가 아직도 선명하게 떠올랐다. 스마트하고 똑 부러진, 직원들을 챙기고 배려심 넘치는 인자한 미소의 중년 구름 정령 '스모그'의 사진이 담겨있는 기사였다.

하지만, 실제로 공장을 다니며 본 스모그의 모습은 내 예상과는 전혀 딴판이었다. 실제 스모그는 자기 사리사욕을 위해선 어떠한 악독한 짓도 서슴지 않고, 시가 연기를 뻑뻑 피워대어 담배 냄새가 가시지 않는 혼탁한 잿빛의 구름 정령이었다. 처음 그 모습을 보았을 때 나는 도무지 말로 표현할 수 없는 커다란 실의에 빠졌다. 동경했던 '스모그'의 실제 모습이 저렇다니.... 나는 이 당시를 생각하면 아직도 치가 떨린다.

하지만 스모그 덕분에 내 인생이 바뀐 것도 변함없는 사실이다. 그렇기에 나는 다른 정령들에게도 내가 받은 감동을 재현하자는 목표를 위해 열심히 노력하기로 했다. 하지만 문제가 있었다. '웨더 메이커 팩토리'는 생각보다 위계질서가 명확했고, 내 뜻을 펼치기 위해서는 말단인 '구름 메이커'로서는 큰 권한이 없었다. 승진해서 충분한 권한을 가져야만 내가 생각하는 아이디어를 실현해 상품으로 세상에 선보일 수 있었다. 처음에는 여러 가지 다양한 의견을 적극적으로 내보았지만, 그때마다 윗선에서는 지금 하는 일이나 잘하라며 제출한 의견을 거들떠보지도 않았다. 하지만 나는 포기하지 않았다. '구름 메이커'로써 착실히 실력을 쌓아가며 퇴근 후에도 끊임없이 자기 계발에 전념했다. 언젠간 내 꿈을 자유롭게 펼칠 수 있을 만큼 높은 자리로 올라가기 위해 말이다.

나는 매일매일 언제나 최선을 다해서 살았고, 주변 동료들도 그렇게 최선을 다하는 나를 항상 응원해 주었다. 그렇게 나는 2년 만에 '클라우드 센터'의 '총책임자' 자리까지 올라갔다. 물론 클라우드 센터의 직원은 매우 소수였기에 허울뿐인 직책이었지만 말이다. 게다가 아직 계약직 신분도 벗어난 상태가 아니라 지금도 과감하고 적극적인 의견 표출은 쉽지 않다. 하지만 총책임자가 되고 문제없이 클라우드 센터를 담당하는 것도 괄목할 만한 성장임은 틀림없었다. 그렇기에 나는 총책임자 자리에서 또다시 6개월간 불꽃이 꺼져버릴 정도로 열심히

일했다. 그렇게 2년 6개월간 정말 열심히 노력했다. 그렇게 2년하고
도 6개월 차가 된 시점에 스노우가 신입으로 들어온 것이다.

*

벌써 스노우가 들어온 지 6개월이 지났다. 그동안 스노우의 실력은
몰라볼 정도로 좋아졌다. 물론 아직 내 속도를 따라오려면 한참 멀었
지만 말이다. 경력이 차이 나니 이 부분은 어쩔 수 없다. 나는 불을 이
용해 구름 모서리를 태워버리고, 가위와 망치를 이용해 모서리를 다
듬는다. 하지만 눈의 정령인 스노우는 한기를 이용해 구름 모서리를
얼린 후, 망치로 부수고, 사포로 다듬어 구름을 만들었다.

여느 때와 같이 '클라우드 센터'에 출근하니 스노우의 모습이 보인
다. 스노우는 발주 표와 작업 지시서를 꼼꼼히 살펴보고 있었다.
"스노우, 좋은 아침이야. 오늘 작업량은 어떻게 돼?"
"안녕하십니까, 선배님! 오늘 작업은 뭉게구름 24개입니다."
뭉게구름 24개라면 그렇게 많은 작업량은 아니지만 스노우의 작업
속도라면 시간이 조금 빠듯하다. 원래라면 작업량은 숙련직 2명을 기
준으로 책정되고, 비 숙련직이나 아르바이트와 함께 작업을 할 경우
그만큼 초과근무 시간을 책정해야 한다. 하지만 악덕 공장장 '스모그'
는 이런저런 핑계를 대며 초과근무를 인정해 주지 않았다. 그리고 왜
인지는 모르겠지만 스노우에게 이런저런 호의를 계속해서 제공해 준

다. 항간에 도는 소문에 의하면 스노우가 낙하산이라는 소문도 있었는데 혹시 그래서 그런 것일까? 정확히 밝혀진 사실은 아무것도 없다.

퇴근 시간이 다가오면 스노우는 항상 칼같이 퇴근하곤 했다. 해맑은 미소를 띠며 "선배님, 수고하세요!"라고 인사를 하면서 말이다. 그럴 때마다 솔직히 썩 마음에 들지는 않았다. 그렇지만 나쁜 것은 스모그이기에 나는 별다른 불평 없이 단지 "고생했어."라고 말할 뿐이었다. 그렇게 스노우는 입사 후 6개월간 단 한 번의 초과근무 없이 언제나 칼퇴근했다. 이런 점에 대해 간간이 스모그에게 불평을 해보았지만, 스모그는 "아직 신입이니깐 네가 이해해 줘."라며 그저 어깨를 들썩일 뿐이었다.

"작업량이 좀 많은 것 같으니까 서두를까?"
내가 말을 건네자, 스노우는 서둘러 작업을 준비했다. 거대한 안개 구름을 가져와 분할기에 넣었고, 포스락포스락거리는 소리를 내며 구름이 잘려 나갔다. 스노우는 묵직한 덩어리의 구름을 작업대에 올려놓았고, '구름 거품기'를 이용해 휘휘 구름을 젓기 시작했다. 뭉쳐있던 구름은 조금씩 풀리기 시작하며 하늘하늘한 솜사탕 모양으로 변해갔다.

"이제 테두리 다듬기 작업을 시작하자."
나는 양손의 불로 구름 테두리를 태우기 시작했고, 구름 모서리는 미세한 불 조절을 통해 자연스러운 구름 모양으로 변해갔다. 태우기 작업을 완료하자 구름 외각에는 따뜻한 김을 내뿜는 바삭바삭한 껍데기가 생겨났다. 나는 가위를 이용해 섬세한 손놀림을 펼쳐 껍데기를 다듬기 시작했고, 가위가 지나간 자리에는 말랑말랑 부드러운 구름만이 남았다. 그렇게 한창 작업을 진행 중이었는데 옆에서 작업 중인 스노우의 모습이 보였다.

구름 덩어리를 동글동글 돌리던 스노우는 양손에서 스멀스멀 냉기를 뿜어냈다. 빠져나온 냉기는 구름 모서리를 둘러싸며 천천히 모서리를 얼려갔다. 모서리는 울퉁불퉁하게 얼어붙었고, 스노우는 망치와 사포를 가져와 구름 외곽을 다듬기 시작했다. 그렇게 작업은 계속해서 이어졌고, 나와 스노우는 각각 3개와 2개의 뭉게구름을 조각했다.

"스노우, 이제 건조하러 가자."

나와 스노우는 구름 조각들을 건조기로 가져갔고, 5개의 구름 조각들을 건조기에 넣었다. 건조기에 구름이 다 들어간 것을 확인한 나는 버튼을 조작해 습도 80%, 타이머 30분을 맞췄다. 건조기는 '위잉'하는 소리를 내며 작동하기 시작했고, 우리는 다시 나머지 작업을 시작했다.

'띵! 건조가 완료되었습니다!'

시간이 흘러 완료를 알리는 알림이 울렸고, 나는 스노우와 함께 건조기 앞으로 다가갔다. '치익' 소리를 내며 문이 열렸고, 뭉게구름은 몽실몽실 적당한 수분을 품은 채 수증기를 내뿜었다. 뭉게구름은 말랑말랑한 모습으로 잘 건조되었다. 뭉게구름이 잘 만들어진 것을 확인한 후, 스노우는 만들어진 뭉게구름을 정리했다.

"정리 다 했으면 빨리 다음 작업 시작하자."

벽에 걸린 시계를 보니 이 속도라면 오늘도 초과근무 확정이었기에 스노우를 재촉했다. 스노우는 약간 힘든 기색을 내비쳤지만 어쩔 수 없다. 어차피 작업을 못 끝내면 또다시 나 혼자 작업을 마무리 지어야 하니깐 말이다.

퇴근 시간까지 최대한 서둘렀지만, 오늘도 역시 시간 내에 작업을 끝낼 수는 없었다. 24번째 뭉게구름 조각을 끝내자마자, 스노우는 기다렸다는 듯 짐을 챙겼다. 그러곤 "오늘도 수고 많으셨습니다!"라며 해맑을 미소로 인사하며 퇴근길에 나섰다.

혼자 덩그러니 남은 나는 나머지 작업을 시작했다. 건조기를 작동시키고, 빗자루를 가져왔다. '쓱쓱' 소리를 내며 물컹한 구름 조각들을 쓸고 있자니 허무한 감정과 함께 갖가지 생각이 들었다.

'내가 아무리 열심히 해도 결국 남는 건 열정 페이뿐인 걸까?'

'내가 정말 남들에게 도움을 줄 수 있는 정령이 될 수 있을까?'

'스모그는 왜 저렇게 스노우를 챙기는 걸까?'

여러 생각에 머리가 복잡했지만, 부지런히 손을 움직이다 보니 어느새 구름 건조가 끝났다는 알림이 울렸다.

다음날, 지친 몸을 이끌고 다시 공장으로 향하니 '눈꽃 과수원' 쪽에서 소란스러운 소리가 들렸다. 무슨 일이 벌어진 건지 살펴보려는 순간, 눈이 시뻘게진 스모그의 모습이 보였다. 스모그는 칠흑같이 어두운 연기를 내뿜으며 굉장히 흥분된 모습으로 서 있었고, 앞에 있는 직원을 쳐다보며 점점 언성을 높여가고 있었다.

"너, 이게 돈이 얼만 줄 알아?"

무슨 일인가 싶어 주변 정령들에게 물어보니 신입 직원 하나가 눈사람을 옮기다 떨어트렸다고 한다. 지긋지긋하다. 신입 직원이나 아르바이트생들이 눈사람을 뭉개 버리는 일은 간간이 있는 일이었다. 하지만 공장 내에 있는 정화기와 응축기를 이용하면 10분이면 복구할 수 있다. 물론 스모그도 이 사실을 알고 있다. 그런데도 스모그는 이따금 저런 식으로 트집을 잡았다. 오늘 같은 월급 정산 날에는 이런 트집이 더더욱 심해졌다. 이런 스모그의 쪼잔한 모습을 볼 때마다 어렸을 적 동경하던 '에너지 가드너' 개발자 '스모그'가 맞는 건지 의심이 되었다.

선배처럼 보이는 직원이 신입 직원을 정화기로 데려갔고, 두 정령은 떨어진 눈사람 머리를 낑낑대며 복구하기 시작했다. 주변 직원들은 익숙한 일이라는 듯 작업을 계속 이어 나갔고, 스모그도 발걸음을 옮기기 시작했다. 나도 클라우드 센터를 향해 발걸음을 옮기려 했는데 순간 스모그와 눈이 마주쳤고, 스모그는 내게 다가왔다.

"플레어, 자네는 작업장에는 안 가고 여기서 뭘 하고 있나?"

스모그는 뜬금없이 내게 일찍 다니라며 훈수를 두더니, 스노우를 데리고 빨리 사무실로 오라며 급히 사라졌다. 뜬금없는 훈수에 어이가 없었지만, 스모그는 이미 사라진 뒤였다. 별수 없이 '클라우드 센터'로 향했고, 마침 스노우의 모습이 보였다. 스노우에게 자초지종을 설명하자 스노우는 알겠다고 말했고, 우리는 함께 사무실로 향했다.

'똑똑'

문을 두드리고 들어가자, 시가 연기를 내뿜으며 앉아있는 스모그의 모습이 보였다.

"왜 이렇게 늦었어? 일단 둘 다 그쪽에 앉게."

시간에 맞게 도착했지만, 스모그는 또 괜히 트집이다. 기분이 언짢았지만, 시키는 대로 자리에 앉았다. 스모그는 서류를 뒤적거리더니 종이 몇 장을 스노우에게 건네주었다.

"스노우 자네도 이제 슬슬 발주를 맡아 보는 게 어때?"

"네?"

"네?!"

나와 스노우는 동시에 소리쳤다. 발주는 통상적으로 2년 차 직원이 맡는 업무다. 즉, 현재 내가 담당하는 업무라는 말이다. 발주 업무가 숙달되면 그 외의 서류 업무도 담당하기 시작하면서 정규직으로 진급할 기회가 주어지는 것이다. 그렇기에 나는 스모그의 발언이 더더욱 충격적이었다. 그 때문에 나는 이의를 제기했다. 하지만 스모그는 새

까만 연기를 내뿜으며 천천히 입을 뗴었다.

"플레어 자네.. 다음 달이 계약 갱신일이지 아마?"

"그렇.. 죠...?"

나는 말끝을 흐리며 스모그를 쳐다보았다. 인사고과 평가자인 스모그가 이런 말을 꺼낸다는 것은 아직 계약직인 내게 매우 부담스러운 일이었다. 그렇기에 별다른 반박을 더 이어 나가지 못하고 속으로 울분을 삭이는 것밖에 할 수 없었다. 스노우 녀석은 그런 내 심정을 아는지 모르는지 상기된 얼굴로 스모그에게 연신 감사 인사를 했다.

나는 사무실 가장 안쪽에 있는 모니터실로 스노우를 데려갔다. 얇은 나무 문을 열자, 각종 서류 업무에 사용되는 모니터들 몇 대가 보였다. 나는 여러 버튼을 누르며 화면의 각종 수치를 조작하기 시작했고, 스노우는 옆에서 열심히 메모를 적었다. 그렇게 교육에 열중하고 있었는데 문밖에서 스모그의 목소리가 들려왔다.

"그래, 부탁한 대로 했다네. 자네를 닮아서 아들 녀석도 제법 똑똑하구먼. 하하하!"

'저게 무슨 소리지?'

뒤를 쳐다보니 수화기를 들고 있는 스모그의 모습이 보였다.

"그래. 자네 아들 녀석은 내가 잘 챙겨줄 테니깐 걱정하지 말게."

'뭐...?!' 스모그의 말을 듣는 순간, 내 머릿속에는 마치 무거운 망치가 내리치는 듯한 충격이 전해졌다. '지인 찬스'. 따로 인맥이라고 할 게 없는 내게는 절대 주어지지 않는 불합리한 찬스다. 입사 후 3년간 내 뜻을 펼치기 위해 정말 열심히 일했다. 스모그의 불합리한 횡포에도 꿋꿋이 버티며 실력을 쌓아왔고, 그 덕분에 2년 차에 발주 업무를 비롯한 사무업무를 담당할 수 있었다. 그렇기에 나도 슬슬 정규직이 된다는 기대감을 맘속 한구석에 품고 있었다. 하지만 스모그의 저 충격적인 말을 듣는 순간 너무나도 커다란 상실감이 들었다. 내가 3년간 그 고생을 해서 얻은 기회를 스노우는 입사한 지 채 1년도 안 되어 갖게 된 것이다.

"선배님..?"

스노우가 걱정스러운 눈으로 나를 바라보았다. 동글동글한 눈으로 나를 바라보는 스노우를 바라보고 있자니 이 녀석이 무슨 잘못이 있나 싶은 생각이 들었다.

"미안, 다른 일이 생각나서 잠시 정신을 딴 데 팔고 있었네. 어디보자.... 잠깐, 이 부분이 잘못됐잖아? C11 코드는 눈구름이고, C1이 안개구름이야. 발주할 땐 이런 사소한 실수 하나 때문에 큰일이 벌어지기도 하니깐 이런 부분은 좀 더 신경 써줘."

스노우는 잘못된 부분을 즉시 고쳤고, 마지막 출력 버튼을 눌렀다. 잠시 후, 모니터에서는 '출력'이라는 2글자가 크게 떠오르며 발주서를 출력하기 시작했다. 발주서가 따끈따끈한 김을 내뿜으며 모두 출력되었을 때, 스모그가 문을 열고 모니터실로 들어왔다. 스모그는 출력된 발주서를 찬찬히 살펴보더니 갑작스러운 제안을 꺼냈다. 일주일간의 추가 교육 후, 스노우가 발주 업무를 전담하는 것이 어떻겠냐는 것이었다. 갑작스러운 제안에 당황하며 입을 떼려는 순간, 달력에 커다랗게 적힌 빨간 글씨가 눈에 들어왔다. 11일 후에 '진 급 평 가'라고 적힌 커다란 4개의 글자가 나를 또다시 충격에 빠트렸다.

'저건가.. 아무리 그래도 이렇게 노골적으로 한다고?'

대놓고 승진 혜택을 주려는 스모그의 모습을 보자 정말 화가 치밀었다. 하지만 이젠 반박하는 것마저 지친다. 노력하고 노력에 따른 결과를 얻는 것이 지금까지 당연하다 여겼다. 하지만, 누군가는 지름길을 통해 너무나도 손쉽게 결과물을 얻어낸다. 하지만 나는 그 누군가가 아니었다. 그렇다면 나는 그저 이 사실을 받아들일 수밖에 없는 걸까?

*

일주일간 인수인계를 받은 스노우는 혼자서 발주 업무를 담당하기 시작했다. 우려와는 달리 첫날도 그다음 날도 스노우는 발주 업무를 완벽히 처리했다. 스모그는 흡족한 미소를 지으며 스노우를 칭찬했고, 스노우는 자랑스러운 듯 미소를 띠며 고개를 숙였다. 두 사람의 모습을 지켜보고 있자니 섭섭한 마음이 들었지만, 한편으로는 업무가 문제없이 진행되어 다행이라는 생각도 들었다. 발주 작업을 이어 나가고 있는 스노우를 모니터실에 남겨둔 채, 나는 오늘 자 작업을 위해 '클라우드 센터'로 향했다.

작업장에 도착해 작업 지시서를 읽었다. 오늘 작업은 새털구름 48

개다. 수는 많지만, 간단한 작업이었기에 다행이라 여기며 작업을 시작했다. 뭉게구름을 분할기에 넣자 9개의 작은 덩어리가 뽀송뽀송하고 튀어나왔다. 튀어나온 작은 덩어리들을 바구니에 담아 작업대로 가져갔고, 구름 뜰채를 8자 모양으로 크게 휘둘렀다. 구름 덩어리들은 풀린 실타래처럼 포슬포슬한 모습으로 점점 크기를 키워갔다. 그렇게 작업을 계속 이어 나가며 4번째 새털구름을 완성한 순간, 스노우의 목소리가 들려왔다.

"선배님 발주 끝냈습니다...."

뭔지 모를 위화감이 들었다. 어딘가 자신 없어 보이는 스노우의 모습에 불안한 마음이 들었고, 실수를 할 만한 부분에 대해 조목조목 물어보며 확인해 보았다. 그러나 스노우는 모든 질문에 정확한 대답을 했고, 지금껏 문제가 없었으니 걱정할 필요가 없다고 했다. 마음 한편에서는 내심 불안한 마음은 여전했지만, 스노우를 한 번 믿어보기로 했다.

*

시간이 흘러 다음날이 되었다. 어제 이상했던 스노우의 모습이 단순한 기우였기를 빌며 출근길에 나섰다. 하지만 '클라우드 센터'에 도착하자마자 사색이 된 스노우가 허겁지겁 달려오고 있었다.

"뭐야, 스노우? 무슨 일이야?"

"선배님 그.. 그게...."

스노우는 말끝을 흐리며 한쪽으로 손가락을 가리켰고, 그 끝을 따라가 보니 엄청난 수의 눈구름이 보였다. 어이가 없었다. 완벽하게 했다는 말을 철석같이 믿은 지 단 하루 만에 이 사달이 난 것이다. 스노우는 어쩔 줄 몰라 하며 연신 죄송하다는 말만 반복했고, 그 순간 문이 열리며 스모그가 들어왔다. 스모그는 입술을 꽉 깨물고 이 어처구니 없는 광경을 지켜보다 내게로 고개를 돌려 이것저것 묻기 시작했다.

"아니, 이게 어떻게 된 거야? 이제 곧 여름이잖아. 그런데 왜 눈구름 천지야?"

나는 자초지종을 설명했고, 스모그는 난처한 표정을 지으며 스노우와 눈구름을 번갈아 쳐다보았다. 잠시 침묵이 흘렀고, 이내 '따르릉' 하는 전화 소리가 침묵을 깼다. 스모그는 주머니에서 전화를 꺼냈고, 상대방과 전화 몇 마디를 주고받더니 사색이 된 채 내게 외쳤다.

"플레어, 스노우랑 같이 이 상황 어떻게든 수습해 놓게. 인력도 필요할 것 같으니 협조 공문은 내가 올려두도록 하지."

스모그는 그 말만 남긴 채 헐레벌떡 사라졌고, 나는 갑작스러운 요청에 어이가 없어 멍하니 서 있었다. 스노우도 마찬가지였다. 우리는 이 황당한 상황을 받아들이지 못한 채, 멍하니 서서 어색한 침묵을 이어갔다.

10분 정도가 지났을까, 갑자기 스노우의 배에서 '꼬르륵' 소리가 들렸다. 당황한 듯한 표정의 스노우는 머리에서 녹은 눈을 주르륵 흘리기 시작했다. 나도 별다른 뾰족한 수가 없었기에 우선 스노우를 데리고 '직원 식당'에 가기로 했다. 눈꽃 과수원과 번개 발전소를 지나 계속해서 걸음을 옮겼다. 한참 길을 걸어 공장 입구 쪽에 있는 직원 식당으로 걸어가는데 반짝이며 빛나는 '태양석 대장간'의 모습이 보였다.

"아, 그래! 저거다!"

태양 스틱을 보는 순간, 좋은 생각이 떠올랐다. 그 즉시 나는 태양석 대장간을 향해 달려갔고, 대장간에는 '대장간 마스터'가 서 있었다. 나는 급히 마스터에게 자초지종을 설명한 후, 대량의 태양 스틱을 요청했다. 마스터는 태양 스틱을 어떻게 쓸 것인지 물었지만 더 이상 지체할 시간이 없다는 생각이 들었기에 스모그의 이름을 들먹이며 우선 빨리 준비해달라고만 말했다. 마스터는 스모그의 이름을 들은 후, 우선 알겠다며 준비를 해주겠다고 했다.

나는 스노우에게 태양 스틱 운반을 맡기고, 각 부서에 전화를 돌려 지원 인력을 요청했다. 다행히 스모그의 협조 공문이 전 부서에 제대로 전달되었는지 모든 부서는 흔쾌히 수락했다.

어느 정도 시간이 흘렀고, '클라우드 센터'에는 총 17명의 인원이 모였다. 그런데 모인 인원 대부분은 신입 직원들이었다. 아무래도 지원 인력이기에 막내급만 보낸 거겠지. 정령들은 많았지만, 신입사원들만으로 구성되어 있다 보니 센터 내부는 영 어수선했다. 이런 상황에 우유부단한 모습을 보여주면 신입 정령들은 더 당황할 것이다. 그렇기에 나라도 정신을 똑바로 차려야겠다고 생각했다. 나는 스노우와 함께 센터의 중앙으로 걸어갔고, 마이크를 들었다. 그 후, 전원 버튼을 누르고 주변 정령들의 주의를 집중시켰다.

"여러분 이렇게 모여 주셔서 감사합니다. 저는 이곳의 총책임자 '플레어'라고 합니다. 여러분은 이제부터 저와 여기 있는 '스노우' 군을 도와 함께 작업을 시작할 겁니다."

나는 옆에 있던 스노우를 한 번 쳐다본 후, 계속해서 이야기를 이어 나갔다.

"우선 팀을 A, B, C 3개 조로 나누겠습니다. 지금 서 있는 곳을 기준으로 5명씩 줄을 서주세요."

어수선하게 모여 있던 정령들은 내 말에 따라 일사불란하게 줄을 맞추기 시작했다. 줄이 다 맞춰지자 나는 왼쪽부터 A, B, C 3개의 조 이름을 정해주었다. 그 후, 나는 스노우를 쳐다보며 설명을 시작했다.

"스노우, 눈구름 사이사이에 태양 스틱을 끼우면 내부의 눈이 녹을 거야. 원래라면 녹은 물 때문에 바닥이 물바다가 되겠지? 하지만 건조한 사막 구름을 이용해서 바닥의 물기를 흡수하면 이 문제를 해결할 수 있어. 그런데 펑퍼짐한 사막 구름을 그대로 쓰기는 어려울 거야. 그러니 롤러로 밀어 두루마리 모양으로 만드는 작업이 필요해. 네가 그 작업을 맡아주면 좋겠어."

"우와.. 선배님. 대단하세요. 어떻게 그런 걸 생각하신 거예요? 전 상상도 못 했어요."

스노우는 감탄사를 연발하며 놀라움을 그치지 못했다. 나는 스노우에게 한시가 급하니 작업을 서둘러 달라고 했고, 스노우는 A 조를 통솔해 사막 구름을 챙기러 떠났다. 그 직후, 나도 남아있는 정령들을 통솔해 작업을 시작했다.

"그럼, B 조는 저쪽에 마련되어 있는 태양 스틱을 앞에 있는 눈구름에 10cm 간격으로 꽂아주세요. 뜨거우니 '에너지 가드너'는 꼭 장갑까지 완전히 착용하셔야 합니다. 그리고, C조는 그물망을 이용해 흘러내리는 태양석을 회수해 주시면 됩니다."

정령들은 일사불란하게 움직였고, 어느 정도 작업이 진행되자 스노우 일행이 사막 구름 한 무더기를 갖고 도착했다. 스노우는 다른 직원들과 함께 사막 구름 두루마리를 만들었다. 그리고, 나머지 C조 인원들은 사막 구름 두루마리를 이용해 눈구름 아래의 물을 흡수하며 바닥을 깨끗이 정리하기 시작했다.

모여 있던 직원들은 대부분 신입직원이었기에 작업은 조금 더디게 진행되었다. 하지만 장장 3시간의 작업을 거친 끝에 눈구름 속의 눈을 모두 제거할 수 있었다. 한숨을 돌리며 주위를 둘러보니 한쪽 구석에 물기가 흥건한 사막 구름 두루마리가 잔뜩 널브러져 있었다.

모여 있던 직원들은 한숨을 돌리며 뒷정리를 시작했고, 어느 정도 정리가 마무리 되어갈 즈음 주머니 속의 전화가 울리기 시작했다. 발신자는 스모그였다.

"그래 플레어, 어떻게 상황은 잘 수습됐나? 다름이 아니라 상황이 안 좋게 됐어. 당장 이틀 후에 장마 구름 주문이 들어왔거든. 밤샘 작업을 해서라도 당장 만들어야 해. 자네라면 할 수 있겠지? 자네만 믿겠네."

스모그는 쉴 새 없이 말을 내뱉었다. 협조 공문을 자기가 알아서 보내줄 테니 어떻게든 완성하라며 협박에 가까운 말투로 말을 이어 나가다 반박할 새도 없이 전화를 끊어버렸다.

'뚜.. 뚜.. 뚜..'

이 상황이 너무 어이가 없었다. 하지만 이미 벌어진 일이기에 열심히 해결 방법을 궁리해 보았다. 장마 구름을 발주하면 들어오는 데 이틀이 걸린다. 그리고, 그걸 작업하는데 하루가 더 필요하다. 도저히 정상적인 방법으로는 불가능하다. 어찌할 바를 몰라 멍하니 서 있었는데 스노우가 호기심 가득한 얼굴로 다가왔다.

"선배님? 공장장님이 뭐라고 하신 거예요?"

"그게.. 당장 모래까지 장마 구름을...."

입을 떼는 순간 스노우 뒤쪽으로 물기가 흥건한 채 쌓여 있는 구름 두루마리 무더기가 보였다.

'그래 저거다!'

나는 좋은 생각이 떠올라 급히 센터 중앙으로 달려갔고, 마이크를 들어 다시 직원들의 주의를 집중시켰다.

"여러분, 죄송합니다. 지금 공장장님께서 급히 추가 작업을 지시하셨습니다. 그래서 지금 당장 작업을 이어 나가야 합니다. 각 부서에는 협조문이 올라갔으니 조금만 더 힘내주세요. 우선 조금 전처럼 다시 3조로 나눠서 작업을 진행할 겁니다. 지금 즉시, 조원들끼리 모여주세요."

이제 막 일을 끝낸 직원들은 다소 불만인 듯한 표정을 지었지만, 지시에 따라 각 조 인원끼리 모여 지시를 기다렸다.

"자, 다 모여주셨으면 우선 A조는 저기에 있는 구름 두루마리를 10cm 간격으로 잘라주세요. 그리고 B조는 그걸 둥글게 말아 뒤편에 있는 구름 거품기를 이용해 물구름 구슬 만드는 작업을 부탁드리겠습니다. 스노우, 너는 B조 분들에게 기계 조작하는 법을 가르쳐 드려."

지시를 받은 인원들은 작업을 시작했고, 난 속이 텅 빈 눈구름 쪽으로 나머지 인원들을 데려갔다. 나는 '구름 뜰채'를 오른손으로 집어 들어 양쪽의 구름 사이를 번갈아 왔다 갔고, 2개의 구름은 점점 하나의 구름으로 뭉쳐졌다. C조 인원들은 그런 내 모습을 본 후, 똑같이 구름을 엮기 시작했다.

우리는 1시간 동안 구름을 엮었고, 구름을 하나하나 엮어 드디어 한 개의 커다란 구름 뭉치를 완성하는 데 성공했다.

"그럼, 이제 물구름 구슬을 이 구름 뭉치 속에 집어넣을 겁니다. 20cm 간격으로 물구름 구슬을 던져주세요."

C조 인원들은 물구름 구슬들을 가져와 구름 속으로 던지기 시작했고, 작업은 착착 진행되는 것처럼 보였다. 정령들은 땀을 뻘뻘 흘리며 계속해서 작업을 진행해 나갔다.

그렇게 한창 작업이 진행 중이었는데 어디선가 갑자기 "앗!" 하는 소리가 들렸다. 고개를 돌려 소리가 나는 방향을 바라보니 2개의 물구름 구슬이 부딪쳐 스파크가 일기 시작했다.

'딱! 딱! 따닥! 따다 다다다닥!'

처음 부딪친 구슬이 튕겨 나가 다른 구슬을 때렸고, 주변 구슬들도 연쇄적으로 충돌하며 곳곳에서 스파크가 튀어 오르기 시작했다. 이곳 저곳에서 스파크가 번쩍이자 가까이 있던 직원들은 깜짝 놀라 혼비백산 뛰어다녔다.

'타다 다다다닥! 타닥! 타닥! 타다다닥!'

스파크는 소리와 크기를 점점 더 키워나갔고, 직원들은 점점 더 큰 공황에 빠져 소리를 지르며 뛰어다녔다. 이대로 스파크가 계속 발생하면 직원들이 다칠 뿐만 아니라 공장 전체가 정전될지도 모른다. 그렇게 되면 공장 전체가 멈춰 막대한 손해가 발생한다.

'휙!'

내가 한참 생각에 빠져 있었는데 스노우 쪽으로 파편이 날아갔다.

"으아아아악.....!!!!!!"

스노우는 무릎을 꿇고 고개를 바닥에 바짝 붙여 아슬아슬하게 파편들을 피했다.

"앗! 스노우, 괜찮아?"

스노우는 공포에 질려 덜덜 떨며 계속 고개를 숙이고 있었다. 그때, 스노우 옆에 있는 여분의 '에너지 가드너'가 보였다. '그래, 저거야!' 좋은 생각이 떠오른 나는 빠르게 스노우에게 뛰어갔고, 어깨를 흔들며 스노우의 이름을 불렀다.

"스노우, 정신 차려!"

스노우는 벌벌 떨며 고개를 들었고, 나는 스노우의 눈을 바라보며 앞으로의 계획에 관해 설명해 주었다.

"스노우, 일단 이 주변으로 눈을 쌓아 벽을 만들어줘."

내 말을 듣자마자 스노우는 무슨 뜻인지 이해한 듯이 비장한 표정을 지으며 고개를 끄덕였다. 그리고 나선 에너지 가드너 장갑을 벗고 양손에서 스르르 눈보라를 내뿜기 시작했다. 빠져나온 눈보라는 스파크가 일고 있는 구름 뭉치 주위로 쌓였고, 점차 작은 벽이 만들어지기 시작했다.

"여러분, 지금 원소를 다룰 수 있는 분들은 각자의 원소를 이용해 함께 벽을 세워주세요."

나는 정신없이 뛰어다니는 정령들에게 소리쳤고, 스노우의 행동을 발견한 몇몇 직원들은 각자의 원소를 이용해 함께 벽을 세우기 시작했다. 눈, 얼음, 먼지 모래, 구름 등. 각각의 원소들이 모여 점차 거대한 벽을 만들기 시작했고, 얼마 안 가 크고 네모난 방벽이 완성되었다. 직원들은 방벽 뒤로 숨었고, 우선 한숨을 돌렸다며 거친 호흡을 내쉬기 시작했다. 그동안 나는 에너지 가드너 몇 개와 부서진 기계 파편들을 모았다.

"선배님 어쩌시려고요?"

땀을 뻘뻘 흘리고 있는 스노우가 지친 모습으로 내게 물었다.

"피뢰침을 만들 거야. 그리고 여기 있는 에너지 가드너로 전기 에너지를 저장할 거고."

대답을 마치자마자 나는 에너지 가드너 장갑을 벗고, 한군데 모여 있는 기계 파편들을 향해 거대한 불을 쏘아붙였다. 파편들은 밝고 붉은빛을 띠며 한 개의 덩어리로 뭉쳐지기 시작했고, 나는 쇳덩어리들을 뭉쳐 거대한 대못 모양으로 만들었다. 어느 정도 형태가 완성되자 나는 스노우에게 냉각을 부탁했고, 스노우는 양손에서 한기를 내뿜어 대못을 식혔다.

"됐어. 이제 이걸 피뢰침으로 사용할 거야."

피뢰침을 완성한 나는 이번엔 에너지 가드너 5개를 모았다. 가장 큰 구멍끼리 맞닿게 한 후, 이음매 부분을 용접해 곳곳에 난 이음매 부분을 녹였고, 빈틈없이 메워 한 개의 덩어리로 만들었다. 그렇게 '임시 에너지 보관 박스'가 완성되었고, 마지막으로 방금 만든 대못을 박스의 유일한 구멍에 용접해 '피뢰침 박스'를 만들었다. 그리고, 남은 파편을 이용해 길쭉한 원기둥 모양의 뚜껑도 만들었다. 모든 것을 완성한 후, 나는 모여 있던 직원들과 함께 '피뢰침 박스'를 방벽 쪽으로 가져갔다. 그 후, 나는 스노우와 다른 직원들에게 방벽에 작은 구멍을 만들 테니 그 사이로 피뢰침을 꽂아달라는 부탁을 했다. 모여 있던 직원들은 알겠다고 대답했다.

나는 심호흡을 한 후, 방벽 쪽에 서서 '에너지 가드너' 장갑을 벗었다. 온 신경을 집중해 양손에서 미세한 불꽃의 일렁임을 만들었고, 양손의 불꽃을 나선 모양으로 회전시켜 하나의 작은 드릴 모양으로 불꽃 형태를 만들었다. 나는 조심스레 불꽃을 벽으로 움직였고, '치이익' 소리를 내며 방벽 중앙의 눈이 녹기 시작했다. 미세한 구멍이 점차 커져 나갔고, 이내 충분한 크기의 구멍이 뚫렸다.

"지금이야!"

나는 온 신경을 집중한 탓에 기진맥진했지만, 구멍을 뚫자마자 '피뢰침 박스'를 잡고 있던 직원들에게 힘껏 소리쳤다. 직원들은 신호를 듣자마자 다 같이 "으아아아!!!" 소리를 지르며 구멍 속으로 피뢰침을 꽂았다.

'타닥! 타다닥! 타달다다다닫딱! 탓탓타타다닥타타다다닥!!!!!!!!!!!!!'

벽 너머로 번개가 내려치듯 번쩍번쩍 빛이 났고, 피뢰침은 엄청난 굉음을 내며 찌릿찌릿 빛나는 스파크를 흡수하기 시작했다. 소용돌이치듯 피뢰침 내부로 스파크가 흡수되기 시작했고, 순식간에 모든 스파크가 '피뢰침 박스'에 저장되었다. 모든 스파크가 흡수된 걸 확인한 나는 재빨리 뚜껑을 닫았다.

"와아아아아!!!!!"

방벽 뒤에 모여있던 직원들은 하나같이 흥분과 경이로움이 담긴 눈빛으로 환호성을 지르기 시작했다. 스노우도 두 눈을 반짝이며 눈앞에 펼쳐진 이 굉장한 광경을 믿지 못하겠다는 눈으로 내게 소리쳤다.

"와! 선배님 굉장해요! 어떻게 이런 생각을 하신 거예요?"

"예전에 에너지 가드너의 원리에 관해 공부한 적이 있어. 쌓여있던 에너지 가드너를 보는 순간 머릿속에 팟! 하고 떠오르더라고."

나는 상기된 표정으로 스노우에게 대답했고, 스노우는 존경심 가득한 눈빛으로 나를 쳐다보았다.

다행히 구름 뭉치는 손상된 곳 없이 무사했고, 나는 직원들에게 장마 구름 만드는 것을 이어달라고 부탁했다. 사고를 수습 짓기 위해 노력하던 내 모습에 감동한 듯 직원들은 군말 없이 내 지시를 따라주었다.

"혹시 모르니 간격을 좀 더 벌려야 할 것 같습니다. 이번엔 간격을 30cm로 하고, 아까 같은 일이 없도록 주의 부탁드릴게요."

직원들은 조심스레 작업을 이어 나갔다. 속도는 조금 더뎠지만, 작업은 착실히 진행되었다. 그렇게 2시간이 흘렀고, 드디어 장마 구름이 완전한 모양새를 갖췄다. 구름이 완성된 것을 확인한 나는 센터 중앙으로 걸어가 마이크를 잡았고, 직원들에게 감사의 말을 전했다.

"여러분 다들 수고하셨습니다. 여러분 덕분에 장마 구름을 무사히 완성할 수 있었습니다! 모두 여러분이 열심히 해준 덕분입니다. 감사합니다!!"

'짝짝 짝짝짝 짝!!!!!!'

"와!!!!!!!!"

모든 직원이 손뼉을 치며 함성을 외쳤고 서로 어깨를 얼싸안고 기쁨을 나눴다. 그리고 몇몇 직원들은 조금 전 있었던 사고에 대해 떠들었고, 몇몇 직원은 나와 스노우에게 더 큰 사고가 나지 않게 해줘 고맙다며 감사의 말을 전하기도 했다. 마찬가지로 그 말을 들은 다른 직원들도 동감한다며 다들 나와 스노우에게 감사의 말을 전했다. 내가 쑥스러운 표정을 지으며 서 있었는데 스노우가 나를 바라보며 엄지를 척! 하고 치켜들었다.

'쾅!'

모두가 화기애애하고 떠들썩하게 얘기를 나누던 그때, 별안간 큰

소리가 들리며 문이 열렸다. '벌컥'하고 문을 열고 들어온 스모그는 입을 '쩍!' 벌리고 이 광경을 지켜보았다.

"뭐야, 장마 구름을 벌써 완성한 거야? 플레어 자네 제법인걸?"

'째릿!'

스모그가 말을 꺼내자마자 작업장에 있던 직원들은 눈에서 레이저를 뿜듯 분노에 찬 두 눈을 부릅뜨며 스모그를 노려보았다.

"뭐.. 뭐야 왜 그래?"

스모그는 당황한 표정을 짓더니 두세 발짝 뒷걸음을 치기 시작했고, 나는 스모그에게 다가가 전후 사정을 설명했다. 내 말을 들은 스모그는 복잡한 표정을 짓더니 우선 내일 이야기해 보자며 오늘은 일단 다들 퇴근하라고 말했다. 직원들은 다들 투덜거리며 퇴근길에 나섰고, 나와 스노우도 집에 갈 채비를 했다.

*

다음날, 나와 스노우는 사무실로 가서 경위서를 작성했다. 스모그는 경위서를 한참 들여다보더니 생각에 잠긴 듯 두 눈을 감았다. 얼마나 지났을까, 스모그는 천천히 눈을 뜨며 나를 바라보았다.

"흠.. 그래 이렇게 된 거군. 플레어 자네, 내가 서두르라고는 했지만 일을 너무 위험하게 처리한 거 아니야? 물론 장마 구름을 만들어 낸 것은 잘했네만...."

'뭐라고?' 순간 화가 치밀었지만, 화를 내도 해결할 수 있는 것은 없기에 입술만 잘근잘근 씹으며 분노를 삭였다. 그런데 그때 함께 얘기를 듣던 스노우가 말을 꺼냈다.

"뭐라고요? 선배님이 얼마나 열심히 하셨는데 무슨 말씀이세요?"

스노우는 열변을 토하며 스모그에게 따지기 시작했다. 그리고 그때, 뒤에서 '똑똑'하는 소리가 들리더니 문이 벌컥 열렸다. 그 후, 어제 현장에 있던 직원들이 우르르 사무실로 들어오기 시작했다.

"맞아요! 플레어 씨는 잘못이 없어요!"

직원들은 다 함께 나를 변호하기 시작했고, 스모그에게 거칠게 항의했다. 그중 가장 앳되어 보이는 신입 직원 하나는 뉴스에 이번 일을 고발하겠다며 씩씩대고 있었다. 그런 말까지 나오자, 스모그도 마지못한 듯 다시 내게 말을 건넸다.

"하.. 그래 알겠어. 플레어, 자네에겐 더 이상 책임을 묻지 않도록 하지. 그나저나 자네 혹시 기후 연구원으로 일해볼 생각 없나?"

"기.. 기후 연구원이요?"

이 무슨 뚱딴지같은 소리인가? 갑작스러운 제안에 당황스러웠다. 기후 연구원. 그 직책은 일반 사원이 도달할 수 있는 최고의 직책이다. '웨더 메이커 팩토리'에는 매년 수천 명의 사람들이 지원한다. 그중에서도 기후 연구원은 전국의 내로라하는 기후 전공자들 1,000명이 지원해 1년에 겨우 1명이 붙을까 말까 할 정도로 굉장히 들어가기 힘든 직책이다. 나는 갑작스레 그런 직책을 제안받은 것이다.

"그래, 구름 메이커로 계속 두기에는 자네 재능이 영 아까운 것 같아."

'무슨 심경의 변화인 걸까? 스모그가 갑자기 왜 이런 제안을 하는 거지?' 머릿속으로 수만 가지 생각이 지나갔지만, 곧바로 내릴만한 결정은 아니었다. 그렇기에 우선 스모그에게는 고민해 보겠다고 말했다. 대답을 들은 스모그는 알겠다며 오늘은 급한 일이 없으니, 스노우와 함께 서류작업을 부탁한다고 했다. 모여 있던 다른 직원들도 수긍한다는 듯이 고개를 끄덕이며 각자의 일터로 돌아갔고, 나도 스노우와 함께 모니터실로 들어갔다.

모니터실에서 각종 서류를 들여다보며 업무를 처리하고 있었는데 문밖에서 스모그의 전화 소리가 들렸다.

"그래, 장마 구름 품질이 제법 괜찮지? 덕분에 살았어. 이번 계약으로 우리 공장도 드디어 안정적인 수입원이 생기게 됐으니깐 말이야. 정말 곤란했다니깐? 요 몇 년간 계속 적자라 공장이 문 닫게 생겼었는데 이번 계약 덕분에 공장 문을 닫지 않아도 되니 말이야."

'저게 무슨 소리지?' 나는 서류작업을 이어 나가며 스모그의 전화 통화에 귀를 기울였다.

"그래, 자네 아들은 걱정하지 말게. 마침 '클라우드 센터'에 있는 총책임자 녀석이 제법 괜찮은 능력이 있더라고? 그래서 그 녀석을 다른 부서로 보내버리고, 자네 아들을 이번에 정규직으로 전환하면서 총책임자를 맡길 생각이거든. 마침 적당한 명분도 생겼고 말이야. 그래, 물론 좀 힘들긴 할 거야. 그렇지만 걱정하지 말게. 이제 자금도 빵빵해졌으니 다른 데서 경력직 몇몇을 스카우트할 예정이거든."

'그렇게 된 거였나?' 지금까지 스모그의 쪼잔한 모습이 이해되었다. 스모그도 그저 돈에 미쳐 그렇게 악독한 성격으로 바뀐 게 아니었다. 나도 공장 상황이 어려운 건 어렴풋이 알고 있었지만, 문을 닫을 정도로 심각한 줄은 몰랐다.

심란한 마음과 복잡한 머릿속으로 어지러운 상황 속에서 업무를 이어가다 보니 어느새 퇴근 시간이 되어 있었다. 나는 스노우와 인사를 나눴고, 우리는 각자 퇴근길에 나섰다. 나는 집으로 돌아가며 지금까지의 회사 생활을 곰곰이 되짚어 보았다. 열심히 노력해 이 회사에 입사했고, 지금까지 구름 메이커로서 열심히 일했다. 이번에 스모그와의 대화를 생각해 보면 정규직 전환도 사실상 확정인 것 같았다.

스모그가 처음 스노우에게 특혜를 주는 모습을 보았을 때, 나는 지금까지의 회사 생활이 무너져 내리는 기분이었다. 내가 그렇게 힘들게 얻은 것들을 스노우는 너무나도 손쉽게 얻었기 때문이다. 물론 그 녀석도 노력했다는 것은 인정한다. 하지만 이렇게 대놓고 지름길을 가는 녀석을 보고 있자니 지금까지의 내 노력은 무엇이었나 하는 허탈감마저 들었다.

그렇지만 한편으로는 이런 생각도 들었다. 내가 이 회사에 온 이유가 뭐지? '에너지 가드너'를 통해 새로운 인생을 얻게 된 것처럼 나도 다른 이들에게 감동을 주기 위해 들어온 것 아닌가? 하지만 말단 직원 신세로는 아무리 다양한 의견을 제출해도 윗선에서 잘리기 일쑤였다. 그 때문에 나는 다양한 의견을 자유롭게 표출할 수 있는 자리까지 오르고 싶었다. 그리고 그러기 위해서는 나만의 강점 즉, '나만의 무기' 가 있어야 한다. 단순히 열심히 일하는 것만으로는 내 꿈을 펼치는 것 은 너무나도 오래 걸린다. 하지만 '나만의 무기'를 통해 능력을 인정 받는다면 빠른 승진이 가능했다. 그리고 '기후 연구원'이라는 직책은 '나만의 무기'를 얻기 위한 가장 좋은 수단이었다.

"그래, 그렇게 하자!"

나는 두 주먹을 꽉 쥔 채, 확신에 찬 눈을 하며 집으로 돌아갔다.

*

다음날, 출근 시간 10분 전 사무실에 도착하니 의자에 앉아있는 스모그의 모습이 보였다.

"그래, 플레어. 어떻게 할지는 결정했나?"

나는 자신 있게 스모그를 바라보며 말했다.

"스모그 공장장님, 저 기후 연구원 해보겠습니다!"

스모그는 그럴 줄 알았다는 듯이 흡족해하는 미소를 지으며, 내게 손을 내밀어 악수를 권했다.

그렇게 나는 기후 연구원으로서 새로운 인생을 살아가기로 했다. 비록 연구원이라는 직책이 쉽지만은 않을 것이다. '클라우드 센터' 총 책임자로서 일하는 것은 이제 익숙해졌고, 일하는 데 전혀 어려움이 없어 편하게 월급쟁이로 지낼 수도 있다. 이제 정규직 전환도 되었으니 말이다. 하지만 내가 처음 '웨더 메이커 팩토리'에 온 이유는 겨우 월급쟁이가 되기 위한 게 아니었다.

스모그가 '에너지 가드너'를 통해 내게 새로운 인생을 선사해 준 것처럼, 나도 누군가에게 새로운 인생을 선사해 주기 위해 이곳에 왔다. '기후 연구원'으로서 '나만의 무기'를 얻는다면 나는 분명 빠르게 진급할 수 있을 것이다. 그리고 그렇게 된다면 나는 좀 더 빨리 내 꿈을 펼칠 수 있을 것이다.

이 새로운 시작은 무척이나 힘들겠지만, 그대로 있으면 영원히 그 자리에 멈춰 있을 뿐이다. 그렇기에 나는 아무리 힘들고 어려운 길일지라도, 이 새로운 인생에 즐겁게 뛰어들기로 했다.

꿈

여지원

여지원   10년 이상 방송작가로 일하며 화면 뒤에서 글을 써왔다.
하지만 바빠서, 몸이 힘들어서, 자신이 없다는 핑계로
'나'의 글을 쓰지 않고 살아왔다.
이제는 조금이라도 나의 꿈을 써보려고 한다.

인스타그램: @yeo_hanryang

1920년 조선, 지하의 한 밀실. 전구 하나만 달랑 켜져 있는 방. 침침한 밝음 아래에서 굳은 사람들이 서 있었다. 남자가 여섯, 여자가 셋. 여덟 명의 남녀는 심각한 얼굴로 무언가를 논의하고 있었다. 그들은 책상 위의 종이를 가리키며 의논하기도 하고, 목소리가 들릴 새라 고개를 숙여 속삭이기도 했다. 무언가 은밀하게 얘기를 나누는 모습이었다. 그중 하나인 현애는 사람들을 둘러보았다. 이 광경은 현애에게 아주 익숙한 장면이었다. 제 부모님이 하던 일이니까. 그들은 독립운동에 대해 이야기를 나누고 있었다. 저도 곧이어 정신을 차리고 동지들과 함께 얘기를 나누기 시작했다. 오늘 모인 사람은 총 여덟. 현애의 기대에 미치지 않는 숫자이지만 이만큼이어도 감지덕지였다. 작년 3월의 만세 운동 때문에 많은 운동가들이 총독부에 끌려가 죽음을 당했다. 그 일로 꺾이지 않은 사람도 있었지만. 꺾인 사람들이 더 많았다. 다시 일어나기 위해서는 시간이 필요할 터. 현애는 고개를 저어 아쉬움을 털어냈다.

　몇 시간 뒤, 어느새 동이 터오고 있었다. 사람들은 서둘러 얘기를 끝마쳤다. 얘기가 끝나자 한 사내가 무명천을 하나 꺼내왔다. 현애는 그것을 책상 위에 펼친 뒤, 제 손에 상처를 냈다. 손바닥에서 피가 흘러내렸다. 그녀는 망설이지 않고 붓으로 그 피를 무언가를 적어내려가기 시작했다. 곧이어 그녀가 붓을 떼자 사람들이 서로 눈길을 주고받았다. 그리고 약속이라도 한 것처럼 제 엄지에 상처를 냈다. 한 명씩 피로 지장을 찍기 위함이다. 누구 하나 엄지를 누르는 그 행동에 망설임이 없었다. 이제 현애와 그 옆의 남자만이 남았다. 아직 피가 멈추지 않은 현애의 손을 남자가 쥐어왔다. 꿈속의 현애는 그 남자와 눈을 마주치고는 빛나는 눈으로 칼을 들었다. 남자 역시 제 손에 상처를 냈다. 두 사람이 동시에 엄지를 내려 눌렀다. 꾹 누른 손가락에 피가 통하지 않을 때까지, 현애는 손을 떼지 않았다. 남자는 그런 그녀를 계속해서 지켜보았다. 현애가 손을 떼고 그 남자를 바라보자 그 남자가 나지막이 말했다.

"조선독립만세."

***

그 순간 현애는 잠에서 깨어났다. 그녀의 귀밑머리 옆으로 식은땀이 흘러내렸다. 습관처럼 손등으로 땀을 훔친 그녀는 자리에서 일어나 물을 한잔 마셨다. 차가운 물이었지만 속은 여전히 불같았다. 같은 내용의 꿈을 꾸는 것이 벌써 세 달째. 처음 꾼 날은 개꿈이라 여겼다. 한 달째 되던 날에는 독립운동을 하던 가족들이 용기 없는 자신을 꾸짖기 위함인가 의심했으며, 두 달째에는 하나님의 계시가 내려왔나 하였다. 하지만 현애는 세 달째 아무런 행동도 하지 않았다. 그녀는 두려웠다. 부모님은 고종의 타계 이후 만세 운동을 하다 끌려갔고, 동생인 현일은 임시정부에 합류해야겠다며 상해로 넘어간 지 오래였다. 그녀만 이 집안에서 발을 붙이고 있었다. 그녀는 만세 운동에 참가할 용기도, 상해로 넘어갈 용기도 없었다.

'누이는 평생 이렇게 집에 갇혀서 살 거요?'

상해로 떠나기 전, 현일은 저에게 같이 떠나자 권유했었다. 그녀가 끝까지 망설이며 대답하지 못하자 결국 현일은 혼자 떠나버렸다. 나도, 나도 그런 용기가 있었더라면……. 물론 현애 또한 가족들과 뜻을 함께하고자 한 적이 있었다. 하지만 부모님의 시신이 집으로 돌아오던 날, 현애는 모든 의욕을 잃고 말았다. 사랑하는 내 부모님. 조국을 지키기 위해 거리로 나가셨던 분들이 왜 이런 모습으로 계신단 말인가. 처음은 절망이었으나, 곧바로 분노가 이어졌고, 그다음은 두려움이 찾아왔다.

'나도 언젠간 이렇게 될지 모른다.'

동생인 현일은 날 때부터 담대해 자신과는 전혀 다른 아이였다. 그렇기에 같은 상황을 마주하고도 상해로 넘어간 것이겠지. 현애는 어느새 차갑게 식은 얼굴을 쓰다듬으며 창밖을 바라보았다. 1919년 12월 19일. 한 해가 얼마 남지 않은 어느 날. 자신의 생일이었다.

***

현애는 냄비 앞에 서서 보글보글 끓는 미역국을 바라보았다. 미역국은 장정 넷이서 달려들어 먹어도 남을 만큼 냄비에 가득 차 있었다. 자신도 모르게 옛날처럼 잔뜩 끓여버렸다. 내가 다 먹으면 되지 뭐. 현애는 그릇에 밥과 미역국을 듬뿍 떠 식탁 앞에 앉았다. 밥을 미역국에 말아 한 숟가락 가득 입안으로 밀어 넣었다. 분명 국물일 텐데, 현애의 목이 잔뜩 메어왔다. 간신히 한 입 넘겼을 때, 문을 두드리는 소리가 들려왔다.

"현애야! 나야."

문을 열어보니 정숙이 서 있다. 옆집에 사는 그녀는 부모님이 살아계셨을 때부터 살갑게 챙겨주던 사람이다. 지금은 좀 달라졌지만. 정숙은 주변을 힐끔힐끔 둘러보더니 현애의 손에 보자기로 싸인 무언가를 넘겼다.

"오늘 생일이잖니. 그래도 생일 떡은 먹어야지, 응?"

보자기 안에는 따끈한 시루떡이 들어 있었다. 솜씨 좋은 정숙이 직접 만든 것이리라. 현애는 무언가 울컥 올라오는 것 느꼈다. 눈물인지 미역국인지 모를 것을 간신히 삼킨 뒤, 정숙에게 감사의 말을 건넸다.

"고마워요, 아주머니. 맛있게 잘 먹을게요."
"아니야. 이런 것밖에 못 해줘서 미안하지……. 아, 나는 이만 가볼게. 응? 밥 꼭 챙겨먹고."

정숙은 누가 볼 새라 재빨리 인사를 건네고 떠났다. 현애 역시 아무 일도 없었다는 듯 돌아서서 문을 닫았다. 이런 일은 익숙했다. 부모님이 독립운동을 시작하면서부터 흔히 있었던 일이니까. 동네 사람들은 제 부모를 대단히 여기면서도, 혹시나 가까이 하면 해가 될까 현애의 가족을 피하곤 했다. 순사들이 자주 그들을 탐문하고 괴롭혔던 탓이다. 부모님이 돌아가시고, 누이를 답답하게 여긴 동생이 집을 뛰쳐나가고 혼자 남았음에도 그런 분위기는 여전했다. 아직까지 그녀를 감시하는 눈길이 있는 탓일 테다. 그래도 용기를 내준 정숙이 고마웠다. 저였다면 아무 말도 건네지 못했을 테니까. 현애는 먹던 미역국을 치우고 정숙이 준 시루떡을 접시에 한 덩이 덜어놓았다. 그리고 시루떡을 한 입 크게 욱여넣었다. 쫀쫀한 백설기와 보슬보슬한 팥이 목을 턱 막아오는데도 그녀는 목이 메지 않았다.

그날 밤, 현애는 오랜만에 기도를 올렸다. 그녀는 제 손목에 낀 묵주를 수없이 어루만졌다. 부모님이 아픔은 잊고 좋은 곳에 가셨기를.

동생 현일이 무사히 살아있기를, 어디에서나 건강하기를, 정숙에게 큰 피해가 없기를……. 한참을 기도하다 보니 자신을 위해 기도한 것이 없다는 걸 깨달았다. 수년 간 숨죽여 살아오며 목숨을 부지하길 빌었던 것 말고, 자신은 무엇을 하고 싶은 걸까? 부모님과 동생처럼 나라를 위해 움직이고 싶은 걸까? 아니면 지금처럼 아무 일도 없이 조용히 살고 싶은 걸까… 현애는 가슴의 답답함을 무시하며 이부자리에 몸을 뉘였다. 자기 위해 눈을 감았으나 머릿속은 여전히 혼란스러웠다. 현애는 처음으로 자신이 독립운동 하는 모습을 상상해보았다. 하지만 머릿속엔 부모님의 처참한 모습만이 떠올랐다. 현애는 이불을 잔뜩 말아 쥐고 몸을 웅크렸다. 스무 살의 생일날. 여느 날처럼 시린 날이었다.

***

어둠이 내려앉은 거리. 현애는 숨이 차게 뛰고 있었다. 분명 순조롭다고 생각했는데. 누군가 자신들의 활동 정보를 넘기고 있었다. 자신이 알아채지 못한 탓이다. 현애는 입술을 깨물며 함께 혈서를 쓰던 날을 생각했다. 도대체 누구일까. 하지만 이런 생각이 무슨 소용이랴. 뒤에서는 몇몇의 순사가 소리를 지르며 쫓아오고 있었다. 있는 힘껏 도망치고 있었지만, 현애의 체력은 점점 떨어져가는 중이다. 골목길을 돌아서 뛰려는 순간, 갑자기 누군가 현애를 끌어당겨 입을 막았다. 깜짝 놀라 발버둥을 치는 그녀에게 익숙한 목소리가 들려왔다.

"쉿. 현애. 나야."

현애가 그 소리에 뒤를 돌아보았다. 자신과 함께 피로 지장을 찍었던 그 남자였다. 그녀는 겨우 안도하며 남자의 품에 몸을 늘어뜨렸다. 주변을 둘러보자 그가 자신을 끌어들인 곳은 한 민가였다. 주인은 없는지 가구나 살림살이 같은 것들이 없는 곳이었다. 그렇게 두 사람이 숨을 죽이고 있는 동안, 순사들이 욕설을 지껄이며 문 앞을 지나쳐갔다. 현애는 남자에게 붙어 조그맣게 속삭였다.

"어떻게 된 일이에요? 당신이 왜 여기 있어요?"
"윤식이 우리의 정보를 넘겼어. 병철이 알아채고 이곳으로 나를 보냈지."
"윤식 씨가요? 하지만……."

윤식 역시 그날 혈서를 함께 썼던 이였다. 다른 이는 몰라도 그날 함께 한 여덟만은 진심이라고 생각했는데. 충격을 받은 현애가 비틀거렸다. 그런 현애를 추스르며 남자가 다시 말을 건넸다.

"앞으로도 이런 일이 계속 있을 거야. 괜찮겠어?"

현애는 그의 눈을 바라보았다. 따뜻한 갈색 빛의 눈에는 그녀에 대한 염려가 가득 담겨 있었다. 그 눈빛을 보니 요란하게 뛰던 현애의 심

장이 안정을 되찾기 시작했다.

"나는 괜찮아요."

***

현애는 식은땀을 흘리며 벌떡 일어섰다. 다른 내용의 꿈을 꾼 것은 처음이다. 그리고 다른 이의 이름이 언급된 것도. 창밖을 바라보니 아직 새벽이었다. 현애는 떨리는 가슴을 진정시키며 창으로 다가갔다. 아직 동이 트지 않았는데도 거리를 오가는 사람들이 보였다. 그녀도 저렇게 집밖에서 열심히 활동하던 적이 있었다. 하지만 지금은 한 발자국 내밀기도 어려운 상태다. 현애는 꿈속에서처럼 입술을 깨물었다. 왜 이런 꿈을 꾼 걸까. 아무리 생각해봐도 이해가 가지 않았다. 한참을 고민하던 그녀는 책상으로 와 일기장을 꺼내 들었다. 그리고 제꿈을 적어 내려갔다.

> 1919년 12월 20일
> 꿈을 꾸었다. 나는 독립운동을 하고 있었다.
> 동지 중 윤식이 배신하여 정보를 넘기다.
> 병철이 그 사실을 알고 그 남자를 보내다.
> 그이 덕에 나는 살아남았다.

간단한 몇 줄. 현실도 아닌 꿈이었지만 현애의 가슴이 차게 식었다. 전부 낯선 이름과 낯선 얼굴이었다. 가족도 아닌 낯선 이들이 왜 자꾸 꿈에 등장하는 것일까? 그녀가 생각에 빠져 있는 사이, 누군가 문을 두드렸다. 현애는 흠칫 놀라며 문을 바라보았다. 정숙이 아닌 이상 집에 찾아올 사람은 없다. 정숙은 어제 찾아왔고, 동생 현일이라고 해도 저렇게 문을 두드리지 않을 테다. 현애는 잔뜩 긴장한 채로 문밖의 사람에게 말을 건넸다.

"…누구세요?"
"아, 안녕하세요. 오늘부터 옆집에 신세지기로 한 사람인데 인사를 드리러 왔습니다."
"현애야, 정숙이 아줌마야."

익숙한 정숙의 목소리가 들리자 현애는 긴장을 조금 풀었다. 문을 살짝 열자 익숙한 정숙의 얼굴과 서글서글한 얼굴의 청년이 서 있었다.

"내가 어제 말하는 걸 깜빡했지 뭐니. 오늘부터 우리 집에 하숙하기로 한 학생이야. 네가 보고 놀랄까 봐 미리 소개해주려고."
"아……."

정숙 역시 남편을 잃은 뒤 아들과 단 둘이 지내고 있었다. 그러고 보니 어린 아들을 먹여 살리기 위해 하숙을 시작하기로 했다는 말을 들은 것 같다.

"어서 인사해. 여기는 현애라고 해."
"…안녕하세요. 김현애입니다."
"반갑습니다. 이병철이라고 합니다."

그가 웃으며 손을 내밀었다. 병철! 그 이름을 듣자마자 현애의 귓바퀴까지 소름이 올라왔다. 그녀가 멈칫하며 손을 잡지 않자 병철은 어리둥절한 표정이었다. 우연일까? 현애는 애써 표정 관리를 하며 그의 손을 맞잡았다. 이상하게 보인 건 아니겠지. 다행히 정숙과 병철은 가볍게 인사를 하고 다른 집으로 향했다. 현애는 그 모습을 오랫동안 바라보았다. 그리고 허겁지겁 다시 집으로 들어와 일기장을 펼쳤다. 글을 적어 내려가는 그녀의 손이 가느다랗게 떨렸다.

1919년 12월 20일
꿈속의 병철이 실제로 나타나다.

'착각일 수도 있어…….'

하지만 그러기엔 너무 생생한 꿈이었다. 그리고 같은 얼굴과 같은 이름을 지닌 자였다. 자신이 겪은 일이 너무 혼란스러웠다. 예지몽인 걸까? 현애는 그와 인사를 나눴던 현관을 바라보다 고개를 저었다. 꿈으로 끝나야 했다.

***

　김미정. 현애와 동갑인 그녀는 이번에 일본 고위 관료 사카모토의 후처로 들어가기로 했다. 이날을 위해 미정은 많은 시간을 들여왔다. 남원에서 올라왔다는 그녀는 얌전하게 생긴 외모와 다르게 괄괄하고 거친 성격이었다. 사카모토의 마음에 들기 위해 미정은 제 성격을 죽이고 가무를 익혔다. 그리고 그가 자주 들린다는 카페에서 노래를 부르고 춤을 추었다. 원래도 경성에서도 그녀가 지나가기만 하면 누구든 뒤돌아보는 외모였다. 꾀꼬리 같은 목소리는 덤. 사카모토의 눈 안에 드는 건 순식간이었다. 기모노를 입은 미정이 짐을 다 싼 뒤 손을 툭툭 털었다.

　"그래도 이제 보람이 좀 있겠네. 다른 이들한테도 아양이나 떠는 건 딱 질색이었어."
　"몸조심하고……. 보는 눈이 한둘이 아닐 테니까."
　"현애 씨, 나를 못 믿어? 나 김미정이야. 내가 어떻게 여기까지 왔는데."

　미정이 씨익 웃어보였다. 그녀의 얼굴에 자신만만함과 함께 두려움이 엿보였다. 현애가 무언가 말을 건네려고 할 때 누군가 방안에 들어왔다. '그 남자'였다. 남자는 미정에게 준비가 다 되었는지 물었다. 미정은 남자와 간단히 대화를 나누곤 가방을 들어올렸다. 작은 체구에 비해 큰 짐이었지만 그녀는 씩씩했다.

"자, 그럼 다시 만나자고. 그때는 이 김미정이한테 고마워할 준비들 하시고."

미정이 지하실 문을 열고 나갔다. 현애는 그녀의 뒤를 물끄러미 바라보았다. 그때 남자가 현애의 어깨를 잡아왔다. 어깨에서 따뜻하면서도 단단한 느낌이 느껴졌다.

"미정 씨는 잘 할 거야. 지금까지처럼."
"응…… 나도 그렇게 믿어요."

***

현애는 창밖을 바라보며 멍하니 서 있었다. 멈춰있던 꿈이 움직이기 시작했다. 도대체 이게 무엇을 의미하는 것일까? 밖은 밤새 내린 눈으로 뒤덮여 새하얗게 변해 있었다. 조선인도, 일본인도 하얀 입김을 뿜어내며 지나가고 있었다. 그렇게 멍하니 사람들을 바라본지 한참. 현애는 깜짝 놀라 눈을 부릅떴다. 지난밤 꿈에서 나온 여자가 저만

치에서 걸어오고 있었다. 꿈에서 본 것이지만 확실했다. 여자는 지금 막 경성으로 올라온 것인지 양손에 짐이 가득이었다. 그녀는 짐이 버거운 듯 눈밭에 가방을 내려놓고 어깨와 팔을 두드리고 있었다. 현애는 자신도 모르게 집밖으로 뛰쳐나갔다. 그리고 홀린 듯이 그녀에게 다가갔다. 여자는 팔을 두드리다가 가까이 오는 현애를 보고 의아한 표정을 지었다.

"누구세요?"

아. 현실에서는 아는 사람이 아닌데. 현애는 목이 바짝 타는 것을 느끼며 변명을 내뱉었다.

"이 앞에서 보고 있는데 너무 힘들어 보여서요. 또래 같은데 도와주고 싶어서……."
"아하!"

현애의 답을 들은 여자가 활짝 웃어보였다. 결국 현애는 여자가 머무르게 되었다는 친척집까지 짐을 들어주기로 하였다. 여자는 작은 체구로도 눈밭을 씩씩하게 헤쳐 나갔다. 저는요, 경성 사람들은 다 깍쟁이인줄 알았지 뭐예요. 지식인들이 많다기에 멋진 신사들인가 하였는데 다들 비실하여 지식인들은 곧 샌님인가 했지요. 내가 더 힘이 셀 것 같았다니까? 그래도 오자마자 조선 사람이 도와주니까 기분이 좋네요. 여자는 기분이 좋은 듯 조잘거렸다. 현애도 간간이 그녀의 말에 응해주었다. 그러다보니 어느새 도착지였다. 여자가 짐을 받아들고 현애에게 물었다.

"그리고 보니 도와주셨는데 이름도 묻지 않았네요. 이름이 어떻게 되세요?"
"아, 저는 김현애라고 해요."
"반가워요. 저는 김미정이라고 해요. 내년이면 스물한 살이 되지요."

현실에서도 미정은 현애와 동갑이었다. 현애가 나이를 밝히자, 미정은 깔깔 웃으며 경성에 오자마자 친구가 생겼다며 좋아했다. 웃는 그녀의 얼굴에선 꿈에서 봤던 두려움은 조금도 보이지 않았다. 현애는 미정과 인사를 주고받고 집으로 돌아왔다. 그녀는 문을 닫자마자 다리에 힘이 풀린 듯 주저앉았다. 꼭 필요한 일이 아닌 이상 집밖으로 나가지 않았던 현애다. 오늘 자신이 한 일은 평소의 그녀라면 절대 하지 않을 일이었다. 무슨 바람이 불었던 것일까. 현애는 빨개진 손을 부비며 책상 앞에 앉았다. 그리고 곧장 일기장을 펴 들었다.

1919년 12월 29일
병철에 이어 미정이 실제로 나타나다.

미정과 인사를 나눴다. 이래도 되는 걸까?

나는 무엇을 하고 싶은 걸까?

***

눈발이 지독하게 흩날렸다. 흩날리는 눈발처럼 현애의 심장도 정처 없이 뛰었다. 그녀는 발이 푹푹 빠지는 눈밭을 달리고 있었다. 옆에는 '그 남자'도 함께였다. 뒤에서는 일본 순사들이 욕지거리를 내뱉으며 쫓아오고 있었다. 현애의 숨이 턱까지 차올랐다. 쫓긴 지 벌써 두어 시간은 된 것 같았다. 결국 얼어버린 발 때문에 그녀가 휘청거렸다. 그때 뒤에서 총성과 함께 남자의 목소리가 들렸다.

"안 돼! 현애!"

탕! 총소리에 화들짝 놀란 현애를 남자가 붙들고 골목 안으로 뛰어들었다. 두 사람은 가득 쌓인 상자 뒤에 몸을 웅크리고 숨을 죽였다. 잠시 후, 순사들이 그들을 찾는 소리가 가까워졌다. 현애의 몸이 떨려왔다. 이 떨림이 두려움인지 추위인지 구분할 수가 없었다. 순사들이 다시 멀어지는 소리가 들렸다. 완전히 떠나가고 난 것을 확인한 현애는 남자를 돌아보다 깜짝 놀랐다. 그의 앞섶이 피로 물들어 있었다. 아까 총에 맞은 것인가?

"아, 안 돼……."

남자는 걱정 말라는 듯 새하얀 얼굴로 그녀의 어깨를 도닥였다. 현애의 눈에 눈물이 가득 차올랐다. 가득 고인 눈물 때문에 남자가 웃고 있는지 울고 있는지 보이지 않았다. 하지만 하얀 눈을 붉게 적신 그의 핏자국만은 선명했다. 현애가 울자 남자가 손을 들어 그녀의 눈물을 닦아주었다. 내리는 눈보다 더 차디찬 손이었다. 현애는 그의 손을 잡아 온기를 나누어 주려는 듯 주무르기 시작했다. 한 손은 그의 상처를 꼭 누른 채로.

"걱정 마, 잠깐이야. 잠깐만 쉴 테니까……."

남자는 그런 현애를 지켜보다가 눈을 감았다. 현애의 심장이 쿵 떨어졌다. 이이는 상처가 너무 깊어 휴식이 필요해. 이곳에서 잠들면 안 돼……. 현애는 재빨리 남자의 어깨를 흔들었다. 하지만 남자의 몸이 인형처럼 눈 위로 픽 쓰러졌다. 동시에 현애도 굳어버렸다. 남자는 더 이상 움직이지 않았다. 현애는 떨리는 손을 뻗어 그의 몸을 흔들었다.

"어서 일어나요. 여기서 잠들면 큰일 나요, 응?"

묵묵부답. 현애는 그의 몸을 끌어안았다. 그의 손처럼 몸도 너무 차가웠다. 현애는 그를 더욱 세게 끌어안았다. 그녀의 얼굴에 눈물이 끊

임없이 흘러내렸다. 그들에게 내려앉는 눈이 너무 아팠다.

***

　어느새 베개는 축축이 젖어 있었다. 사람이 죽은 것은 처음이다. 게다가 저를 대신하여 총을 맞아서. 잠에서 깬 후에도 현애의 눈에선 눈물이 멈추지 않았다. 다른 사람들에게 폐를 끼치지 않기 위해 숨을 죽이고 살아왔다. 아니, 그것은 핑계였다. 겁이 났을 뿐이다. 제 부모님과 현일처럼 나서지 못한 것이 한이 되어 꿈을 꾼다고 생각했다. 하지만 저를 대신에 '그 남자'가 죽었다. 꿈의 일인데도 현애는 상실감에 몸을 떨었다. 어떻게든 그 남자를 찾아야했다. 미친 사람 취급을 받더라도 죽게는 내버려 둘 수 없었다. 현애는 몸을 정돈하고 정숙의 집을 찾았다. 병철이 이 집에 머무르고 있음을 기억해냈기 때문이다. 밖에는 눈이 내리고 있었다. 마치 꿈처럼……. 문을 두드리자 정숙이 나왔다. 그녀는 현애를 보고 놀란 표정을 지었다. 그녀가 이렇게 먼저 찾아온 적이 이전에는 없기 때문이다.

　"현애야, 무슨 일이니?"
　"병철 씨를 만나러 왔어요. 안에 있나요?"
　"그 사람은 전보를 부치러 갔는데……."

　집에 없다니. 빨리 만나야 하는데. 만나서… 만나서? 만나서 뭐라고 하려고? 현애는 그제야 정신을 차렸다. 지금 두 사람이 아는 사이인지도 모르고, 독립운동을 하는지도 모르는데. 그저 꿈속의 일을 말하려고?

"아…… . 죄송해요. 제가 잠이 덜 깼나 봐요. 들어가 보세요, 아주머니."

"현애야, 괜찮니? 이렇게 눈이 내리는데 얇게 입고… 응?"

현애는 정숙의 말을 듣지 못하고 집으로 향했다. 정숙이 그 모습을 안타까운 표정으로 지켜보고 있었다. 현애는 집으로 돌아와 다시 생각을 정리하기 시작했다. 꿈에서는 모두가 아는 사이였지만, 현실에서는 아니다. 병철은 그저 정숙의 하숙인일 뿐이다. 내가 아는 건 그것뿐…… . 그때 누군가 현애의 집 문을 두드렸다. 정숙인 것 같았다. 현애는 황급히 문으로 향했다.

'그러고 보니 너무 정신없이 와버렸네.'

"아주머니, 죄송해요. 제가 너무 경황이 없어서…… ."

그러나 문밖에 있는 것은 정숙이 아닌 병철이었다. 현애는 그의 얼굴을 보고 깜짝 놀랐다. 병철은 서글서글한 얼굴로 웃어보였다.

"저를 찾으셨다고 들어서요."

"아, 그건… 제가……."

현애는 할 말을 찾지 못해 미적거렸다. 그때 병철이 아무래도 상관없다는 듯한 말투로 다시 현애에게 말을 건넸다.

"이제 이웃인데 잠깐 들어가도 됩니까? 날이 추워서 차 한 잔만 주시면 고맙고요."
"아, 네, 네. 들어오세요."

병철은 전보를 부치자마자 온 듯 머리와 어깨에 눈이 쌓여 있었다. 그는 문밖에서 눈을 털어낸 뒤 집안으로 성큼성큼 들어왔다. 가족 외에 다른 사람을 들인 건 정숙 외에 처음이다. 현애는 떨리는 손으로 물을 올렸다. 병철은 실례가 되지 않는 선에서 그녀의 집안을 둘러보고 있었다.

"이리로 앉으세요. 곧 차를 내어드릴게요."
"고맙습니다."

조급한 현애의 마음을 알아주듯 물은 금방 끓어올랐다. 병철에게 차 한 잔을 내어주고 나서야 그녀는 한숨을 돌렸다. 그리곤 다시 재빨리 궁리를 시작했다. 그를 왜 찾았는지 이유를 대야 했다. 찻잔을 뚫어지게 노려보는 현애에게 병철이 말을 건넸다.

"부모님이 아주 훌륭하신 분들이더군요. 동생 분도요."

"네?"

"아, 정숙 아주머니께 들었습니다. 무례했다면 죄송합니다."

아. 부모님과 현일이 독립운동을 했던 걸 들은 모양이었다. 현애는 갑자기 부끄러워졌다. 가족들은 다 독립운동에 나섰는데, 너는 뭐하고 있느냐는 타박으로 들렸던 탓이다. 그녀는 새빨개진 얼굴로 손목의 묵주를 문지르고만 있었다. 병철은 그런 그녀를 물끄러미 바라보았다. 그녀가 저를 찾은 이유가 궁금했지만, 저 상태로는 대답하지 못할 것 같았다. 혹시나 그와 같은 이유로 찾은 것이면 좋으련만. 병철은 그렇게 생각하며 자리에서 일어났다.

"오늘은 정말 감사했습니다. 나중에 또 한잔 얻어 마시러 오겠습니다."

"네? 네, 알겠어요. 조심히 가세요."

"네, 그럼."

병철은 고갯짓을 해보이곤 집을 나섰다. 그와 함께 할 사람이 많을수록 좋았다. 정숙에게 처음 현애의 얘기를 들었을 때는 두 눈이 번쩍 뜨였다. 그녀와 함께 할 수 있을 것 같아서. 하지만 오늘 그녀를 보니 불가능할 것 같기도 했다.

'하지만 희망은 버리면 안 되는 법이지.'

병철은 현애의 집을 힐끗 바라 본 뒤 발걸음을 옮겼다. 그 시각. 병철이 떠난 후, 현애는 눈앞의 빈 잔을 바라보았다. 병철은 저를 왜 찾았는지 묻지 않았다. 왜 찾았는지 알고 있다는 듯이. 아니, 그녀의 착각일지도 몰랐다. 하지만 그녀의 가족 얘기를 한 것이 우연일까? 물론 그 이상의 말은 건네지 않았지만, 가족 얘기를 들은 것만으로 그녀의 가슴이 빠르게 뛰고 있었다. 현애도 상상해본 적이 있다. 꿈에서처럼, 가족들처럼 독립을 외치는 자신. 하지만 현실은 정반대였다. 가족들 때문에 끌려가 고문을 받은 것만 몇 번이던가. 겁쟁이처럼 운 좋게 살아남은 자신. 그리고 운이 나빠 자신 대신 죽은 남자. 현애의 얼굴이 어두워졌다. 찻잔을 치우고 책상 앞에 앉은 그녀는 일기장을 펼쳤다.

1920년 1월 3일
꿈에서 그 남자가 나를 대신해 죽었다.
나는 꿈에서도 현실에서도 아무 것도 하지 못했다. . .

***

"윤식이 여기에 숨어 있다는 얘기를 들었는데."
"둘씩 나눠서 찾아보자고."

동지들이 둘씩 나눠서 건물 안으로 들어갔다. 현애는 '그 남자'와 함께였다. 두 사람은 어두운 건물을 샅샅이 뒤졌다. 하지만 어디에서도 윤식의 흔적을 발견할 수가 없었다. 현애가 한숨을 쉬는 순간, 바깥에서 호루라기 소리가 들려왔다. 일본 순사들이었다. 다른 동지들이 외치는 소리가 들렸다.

"함정이야!"

두 사람은 서둘러 숨을 곳을 찾았다. 밤이 내려앉은 듯 캄캄한 공간이었다. 두 사람은 그 언젠가의 날처럼 숨을 죽이고 앉아있었다. 다행히 오늘은 눈이 내리지 않았다. 현애는 온몸의 신경을 곤두세웠다. 여기서 들키면 모든 게 끝장이다. 그렇게 생각하며 현애는 남자를 바라보았다. 남자는 그녀를 바라보고 있었다. 아무런 빛도 없는 곳에서 남자의 눈은 그녀를 향해 강하게 빛나고 있었다. 현애는 그 눈빛에 덜컥 숨이 막혔다. 하지만 그에게서 눈을 뗄 수 없었다. 그녀는 저 눈빛이 무슨 의미인지 알고 있었으니까.

***

현애는 오랜만에 집밖으로 나섰다. 겨우내 먹기 위해 사놓은 쌀이 똑 떨어진 참이었다. 장을 보기 위해 시장으로 향하던 그녀는 익숙한 뒷모습을 발견했다. 미정이었다. 미정은 성이 잔뜩 난 얼굴로 한 상인과 싸우고 있었다.

"내가 지금 밑에서 올라왔다고 무시하는 거예요? 이래서 경성 사람들이란!"
"아니, 아가씨가 너무 턱없이 값을 깎으려고 하니까 그렇지! 뭔 여자가 이렇게 드센지!"
"여자가 드세면 안 되는 법이라도 있나요?!"
"아, 몰라! 나는 적어도 5원은 받아야겠소."
"카페 웨트레쓰 일로 받는 게 겨우 30원이에요!"
"안 살 거면 다른 데로 가든가!"

미정은 그 말을 듣더니 부르르 떨었다. 그리고 어쩔 수 없다는 듯 지갑을 열고 돈을 건넸다. 그 손길이 빠르고 거칠었다.

"자, 됐죠! 5원!"
"흥! 진작 그럴 것이지."

상인 역시 지폐를 낚아채는 손길이 거칠었다. 그런데 지폐 아래 무언가 다른 종이가 보였다. 상인은 그 종이까지 함께 갈무리하여 제 품으로 넣었다. 아는지 모르는지, 미정은 돈을 준 뒤 씩씩거리며 이쪽으로 걸어오고 있었다. 현애가 말을 걸지 말지 망설이는 사이, 미정이 먼저 현애를 발견했다.

"어머, 현애 씨! 오랜만이에요!"

"미정 씨."

방금 싸운 일이 무색하게 미정의 표정은 환하기만 했다. 그녀는 오랜만에 만난 현애를 붙들고 미주알고주알 이야기를 늘어놓기 시작했다. 역시 경성 사람들은 다 깍쟁이였어요. 방금도 보았죠? 내가 시골 아가씨라고 무시하는 거? 카페에서는 어찌나 다들 고상한 척 하시는지. 현애는 그런 그녀를 바라보다 한 마디를 건넸다.

"그… 돈과 함께 건넨 것은 뭐예요?"

"!"

"돈 밑에 다른 종이가 있는 것을 보았어요."

"음… 어머! 다른 종이가 섞여 들어갔나 봐요. 전보인가? 얼른 가서 다시 찾아와야겠네요. 오늘은 반가웠어요, 현애 씨!"

미정은 생긋 웃어보이고는 왔던 길을 되돌아갔다. 처음 만났을 때와는 다른 웃음이지만, 현애는 그 웃음을 본 적이 있었다. 꿈속에서. 현애는 미정이 떠나간 자리를 바라보았다. 분명 그건 실수가 아니었다. 두 사람 다 종이의 존재를 알고 있었다. 현애는 꿈속의 미정을 떠올리며 돌아섰다. 그리고 그런 현애를 누군가 지켜보고 있었다.

그날 밤. 현애의 집에 노크소리가 울렸다. 현애는 조심스레 문밖으로 말을 건넸다.

"…누구세요?"

"저 이병철입니다. 잠시면 됩니다."

문을 조심스레 열자 틈 사이로 병철의 얼굴이 보였다. 그리고 그 뒤에는 자그마한 인영이 보였다. 병철의 너머를 살펴본 현애가 화들짝 놀랐다. 미정이었다. 미정은 고운 얼굴로 생긋 웃어보였다. 두 사람은 현애의 집에 들어와 말없이 차만 마시고 있었다. 현애는 그런 두 사람을 보며 묵주를 만지작거렸다. 잠시 후 찻잔을 내려놓은 병철이 운을 뗐다.

"오늘 시장에서 미정이를 만나셨다지요."

"네. 두 분은… 원래 아는 사이인가요?"

"아니에요. 안 지 얼마 안 됐어요. 아시잖아요? 저 경성 올라온 지 얼마 안 된 거."

미정이 천연덕스럽게 대답했다. 현애는 두 사람이 어떻게 알게 된 사이인지는 몰랐지만, 두 사람이 함께 하고 있는 일이 무엇인지는 알 것 같았다. 하지만 왜 자신을 찾아온 것일까. 그렇게 생각하고 있을 때 미정이 다시 입을 열었다.

"오늘 저는 완벽했어요."

"하지만 현애 씨는 그걸 보았지."

"그건 현애 씨가 특별한 거라니깐요!"

"저… 두 분이 무슨 이야기를 하고 계신 지 잘 모르겠어요."

그러자 병철이 헛기침을 했다. 그는 말을 고르는 듯 했다. 서글서글한 그의 인상이 약간 일그러져 있었으니까.

"미정이와 저는 같은 목표를 위해 함께 하고 있습니다. 함께 한지는 얼마 안 됐지만, 손발이 잘 맞는 편이죠. 하지만 아직 사람이 부족해서 더 구하고 있는 중입니다."

"병철 오라버니 말이 맞아요. 오늘 시장에서 종이를 건넨 거, 현애 씨는 다 보았지요? 하지만 현애 씨 말고는 아무도 눈치 채지 못했어요. 그런데 병철 오라버니가 현애 씨를 안다지 뭐예요? 왜 여태까지 숨어있던 거예요? 그런 줄 알았으면 첫날 말을 건네 볼 걸!"

"아니, 잠깐. 두 사람이 무슨 얘기를 하는 거예요? 함께 하는 일이 뭔데요?"

병철과 미정이 서로의 얼굴을 바라보았다가, 다시 현애를 바라보았다. 현애는 직감했다. 제 꿈이 현실로 다가오고 있다는 걸.

> 1920년 1월 10일
> 병철 씨와 미정 씨가 찾아왔다.

두 사람은 나에게 함께 하자고 하였다.

나는 답을 미루었다. . .

어젯밤, 병철과 미정은 현애에게 독립운동을 함께 할 것을 권했다. 현애도 어렴풋이 느끼고 있었지만, 이렇게 갑작스레 자신에게 제안할지는 몰랐다. 그리고 덜컥 겁이 났다. 부모님처럼 되는 것은 아닌지, 꿈처럼 되는 것은 아닌지……. 그 생각에 하얀 눈밭에서 피를 흘리던 남자가 떠올랐다. 이 꿈을 계속 꾸면, 결국 그 남자를 만나게 되는 걸까? 결국 그 남자는 죽게 되는 걸까? 현애는 눈 내린 날 남자를 끌어안던 것처럼, 제 일기장을 끌어안았다.

***

꽈당! 지하실의 문을 여는 소리가 거칠었다. 한 남자가 작은 종잇조각을 들고 들이닥친 것이다. 그는 미정과 실랑이를 했던 상인이었다. 그의 눈에서는 금방이라도 눈물이 떨어질 것 같았다. 병철이 그에게 다가가 물었다.

"인구, 무슨 일이야?"
"미정이가… 미정이가 사카모토에게 정체를 들켰어."
"!!"
"여기, 그 애가 남긴 유언이야……."

동지들이 인구의 주변으로 모여들었다. 쪽지에는 자신이 정체를 들켰다는 것, 증거는 없었으니 걱정 말라는 미정의 글이 짧게 적혀 있었다. 자기 대신 자신의 짐을 남원의 본가에 보내달라는 유언과 함께. 지하실에 침묵이 흘렀다. 하지만 곧 침묵은 흐느낌이 되었다. 현애는 기모노를 입고 곱게 웃던 미정을 떠올렸다. 항상 툴툴댔지만 누구보다 행동은 앞섰던 그녀였다. 아직도 큰소리를 치던 모습이 생생한데……

"미정 씨의 짐은, 제가 챙길게요. 그게 이상하지 않을 테니까……."

현애는 겨우 말을 뱉고 지하실을 나왔다. 햇빛이 눈부셨다. 이제 겨우 스물한 살. 나와 동갑내기 친구. 현애는 빛나는 태양을 뚫어지게 노려보았다. 눈알이 튀어나올 것처럼 아려올 때, 뒤에서 큰 손이 그녀의 눈을 덮어왔다. 보지 않아도 알 수 있었다. '그 남자'였다. 남자는 아무 말도 하지 않았다. 남자의 손바닥 아래로 눈물이 흘러내렸다.

***

1920년 1월 12일
그들과 함께 하기로 했다.

현애는 날이 밝자마자 병철을 찾아 제 의견을 전했다. 병철이 눈에 띄게 반가워했다. 미정 역시 소식을 듣고 뛸 듯이 기뻐했다. 두 사람과 함께라면 괜찮을 것 같아, 현애도 미소를 지었다. 소식을 전한 그날 밤, 병철이 지하실로 초대했다. 꿈에서만 보던 그곳이었다. 떨리는 마음으로 문을 열자 미정과 두 남자가 있었다. 눈으로 그들을 훑자 미정이 반가운 듯 인사했다. 한 사람은 미정과 함께 투닥거렸던 상인이고, 한 사람은······.

"현애 씨, 우리와 함께 뜻을 모은 자들입니다. 여기 인구는 지난번에 시장에서 보았지요?"
"안녕하세요. 정인구입니다."
"그리고 이 친구는 한윤식이라는 친구인데 아주 엘리트예요. 내가 아주 기대가 큽니다."
"한윤식이라 하오."
"···김, 현애라고 합니다."

현애는 윤식을 보자마자 소름이 돋았다. 배신자. 아직 일어나지 않은 일이지만 소름이 끼쳤다. 뻣뻣이 굳은 현애를 보고 사람들은 긴장한 걸로 여기는 듯 했다. 병철은 사람들의 시선을 모은 뒤 말을 이었다.

"자자, 오늘은 통성명만 하고. 내가 더 소개해 줄 친구가 있는데 상해에서 오고 있어서 시간이 좀 걸리는 듯 해."

"어떤 인사길래 이렇게 뜸을 들이는 게요?"

윤식이 안경을 치켜 올리며 대답했다. 그의 눈빛이 렌즈 너머로 빛났다. 명석해보이기도 했지만, 지나치게 날카로워 보이기도 했다. 그런 그의 어깨에 팔을 걸치며 병철이 넉살좋게 대답했다.

"우리의 거사를 치르기 위한 중요한 인물이지. 자네도 그렇고."
"……."
"여기 우리 다섯. 그 친구가 데려올 두 명까지 해서 벌써 여덟이야. 잠깐 사이에 이렇게 모인 건 기적이라고 할 수 있지. 곧 거사를 치를 날이 올 거야."

모두의 눈이 희망으로 빛났다. 현애는 제 가슴 위에 손을 얹었다. 그녀의 가슴은 여느 때처럼 빠르게 뛰고 있었다.

집으로 돌아가는 길. 현애는 고민에 잠겼다. 현실이 꿈을 향해 달려가고 있다. 그렇다면 윤식은 어떻게 해야 하는 걸까? 그들이 자신의 말을 믿어줄까? 어떻게 해야……. 그렇게 생각하던 현애의 앞을 누군가 막아섰다. 고개를 든 현애의 눈이 공포에 잠겼다. 자신을 정기적으로 감시하던 일본 순사들이었다.

[어이, 김현애. 어디 다녀오는 길이지?]
[…친구, 친구 집에 다녀오는 길입니다…….]

[이 계집애가 친구가 있었나?]

[요즘 카페에 웨트레쓰 일을 하는 여자를 말하는 것 같습니다.]

순사 하나가 현애의 머리를 움켜쥐었다. 우악스러운 손길에 현애의 입에서 저도 모르게 비명이 나왔다.

[지켜보고 있으니까 조심하라고. 네 부모처럼 돼지기 싫으면.]

말을 마친 순사는 낄낄거리며 현애를 지나쳐갔다. 그녀는 우두커니 그 자리에 서 있었다. 다시 작년으로 돌아간 기분이었다.

***

지하실. 여느 때처럼 동지들이 모여 있었다. 미정이 없는 자리였다.

"이대로 있을 수는 없어. 정보를 가져올 사람이 필요해."

"......"

"제가 하겠어요."

"현애!"

'그 남자'가 현애의 이름을 절박하게 불렀다. 그의 마음은 알았지만, 이번 일에는 저 자신이 제격이었다. 과거의 현애는 고문을 당해 공

포에 질린 사람이었다. 동지들과 함께 하며 바뀌었지만, 사람들은 아직 그녀의 바뀐 모습을 모른다. 공포에 굴복한 척, 목숨만은 살고 싶은 척. 현애는 잘 할 수 있었다. 실제로 그랬으니까. 현애의 의견에 모두 동의하는 듯 아무도 입을 열지 않았다. 그 남자만이 다른 방안을 내볼 뿐이었다. 하지만 현애의 위치만큼 이용하기 좋은 방법은 없었다. 남자의 강력한 반대에 부딪혀 회의는 잠시 무산되었다. 다른 이들은 답답한 듯 지하실을 나선 상태다. 현애는 고집스럽게 입을 다물고 자리에 앉아있었다. 남자는 애타는 목소리로 그녀에게 말을 건넸다.

"현애야, 제발……."

"……."

"나를 위해서라도, 다시 생각해주면 안 되겠어, 응?"

"나를 위해서예요."

"현애……."

"나도 할 수 있다는 걸 보여주고 싶어요."

여태까지 무력하게 지켜만 보고 있던 그녀와는 다른 모습이었다. 현애의 눈이 강한 의지로 빛나고 있었다. 남자는 그 눈을 보며 아름다움과 절망을 느꼈다.

"내가 당신을 어떻게 막을 수 있겠어?"

"…미안해요. 나도 당신을 사랑해요."

남자는 고개를 숙인 채 어린아이처럼 엉엉 울었다.

***

현애는 잠에서 깨어 일기장을 펼쳤다. 눈물로 범벅된 얼굴이었다. 하지만 눈빛만은 견고했다.

> 1920년 1월 15일
> 나는 할 수 있다.
> 그리고 그 남자를 만날 것이다.

현애는 병철을 찾았다. 병철은 현애가 처음의 모습과 많이 달라졌다는 것을 깨달았다. 자신의 눈을 보지도 못하고 묵주를 문지르던 그녀. 그래서 그녀가 할 말이 무엇인지 궁금했다.

"그래서, 할 말이 뭡니까?"
"…저는 몇 달 전부터 꿈을 꾸고 있어요."
"꿈? 조선 독립?"
"아니, 그 꿈 말고요. 잠을 잘 때 꾸는 꿈."
"…갑자기 꿈이라니요?"
"믿기지 않겠지만, 들어줬으면 좋겠어요."

현애의 이야기는 쭉 이어졌다. 중천에 떠 있던 해가 뒷산 너머로 넘어갈 때까지. 이야기를 다 듣고도 병철은 믿을 수가 없었다. 예지몽이라니. 윤식이 배신을 하고 미정이 죽는다니……. 그러나 영 허투루 넘길 수 없는 것이 자신들의 계획 일부가 그녀의 꿈에 나왔다. 처음부터 함께 하지 않았던 사람이라면 모르는 계획.

"…나한테 예지몽에 대해 얘기하는 이유가 뭐죠? 내가 안 믿으면 어쩌려고……."

"저는, 이걸 꿈으로 끝내고 싶어요. 예지몽이 아닌 그냥 꿈으로."

"……."

"그리고… 제 꿈을 이루고 싶어요."

"……."

"독립운동의 꿈."

다른 건 안 믿어도 좋다. 하지만 모두의 죽음만은 피하고 싶었다. 현애는 그렇게 병철에게 일부의 협조를 얻어냈다. 윤식을 감시하는 것. 작전에 투입할 때 꿈에서 나온 것보다 더욱 철저하게 준비를 할 것. 그리고 이 이야기를 아무에게도 얘기하지 않을 것. 모든 것을 털어놓은 현애는 단 하나는 말하지 않았다. '그 남자'와 자신의 이야기. 모두를 위해서는 도움이 되지 않을 이야기였다. 하지만 자신이 알고 있으면 된다. 현애는 이불을 끌어올려 목 끝까지 덮었다. 오늘은 깊이 잠들 수 있을 것 같았다.

1920년 1월 28일

상해에서 동지들이 오는 날이다.

그 남자도 있을 것이다.

상해에서 오는 셋이 도착하는 날. 마중은 병철이 나가기로 했다. 나머지는 지하실에서 맞이하는 걸로. 미정이 새로 올 동지들을 기대하며 종알거리기 시작했다. 여자애도 있을까? 우리랑 또래일까? 상해에서 왔으면 우리보다 더 많은 걸 알고 있겠지? 현애는 한귀로 미정의 말을 흘리며 윤식을 바라보았다. 그는 며칠 전부터 수상한 낌새를 보이고 있었다. 현애가 병철에게 꿈에 대해 고백한 후, 병철이 태도를 미묘하게 바꿨기 때문이다. 엘리트라며 치켜세우던 그가 윤식에게는 유출되어도 위험하지 않은 일만 부탁하곤 했다. 신중한 태도였지만, 윤식은 그것을 바로 알아챈 듯 했다. 그래서 모일 때마다 불편한 티를 내곤 했다. 그는 오늘도 언짢은 표정으로 틱틱거렸다.

"오래도 걸리는군."

"이제 곧 도착할 걸세."

"그러시겠지. 나 빼고 다 알고 있으니. 나는 바람 좀 쐬고 오겠네."

퉁명스럽게 말을 뱉은 윤식이 지하실을 나갔다. 현애는 자신도 화장실 핑계를 대며 지하실을 나섰다. 밖으로 나오자 두리번거리는 윤식의 뒷모습이 보였다. 윤식은 초조한 모습으로 서성이더니 어딘가로 향하기 시작했다. 현애는 조용히 그의 뒤를 밟았다. 심장이 목구멍 밖으로 튀어나올 것 같았지만, 그럼에도 발걸음을 멈추진 않았다. 그녀 스스로가 이런 일을 저지르다니. 그녀 스스로도 놀라웠다. 혹시 지금도 꿈을 꾸는 것이 아닐까? 그녀는 그렇게 생각하면서도 윤식을 쫓았다. 윤식은 통신국으로 향했다. 전보를 부치는 듯 했다. 현애는 그의 뒤에 최대한 가까이 붙어 전보를 지켜보았다. 그것은 동지들과 함께 세운 거사의 날짜들이었다. 윤식이 전보를 맡긴 채 주변을 둘러보았다. 현애는 재빨리 몸을 숨겼다. 이 사실을 모두에게 전해야했다. 그녀는 통신국을 나와 골목길로 향했다. 윤식보다 빨리 가야… 그렇게 생각하던 차였다.

"이 계집애! 역시 너였구나."
"꺅!"

갑자기 누군가 뒤에서 튀어나와 그녀를 덮쳤다. 현애는 바닥에 어깨를 부딪치며 나뒹굴었다. 윤식이었다. 윤식은 바닥에 널브러진 그녀의 목을 조르기 시작했다. 안경 너머로 보이는 그의 안광이 괴이하게 빛났다.

"이 년! 너 때문에 내 계획을 다 망쳤어! 네 년이지?
"컥……."
"조금만 더 하면 됐는데, 네 년이, 네 년이 갑자기 튀어나오는 바람에!"

현애는 윤식의 손을 붙들고 격하게 반항했다. 신기하게도 목이 졸린 상태에서도 그를 비난하는 말이 술술 나왔다.

"컥! 나라를 팔아먹은, 배신자! 같은… 조선인이라는 게, 부끄러울 지경이야!"

퉤, 하고 그녀가 윤식의 얼굴에 침을 뱉었다. 그 순간 윤식의 눈이 뒤집어졌다. 그는 주먹으로 현애의 얼굴을 후려치기 시작했다. 갑작스러운 폭력에 현애의 눈이 흐려졌다. 여기서 이렇게 당하면 안 되는데……. 그래도 다른 이들이 당하는 것보다는 자신이 당하는 게 나을 것 같았다. 그때 어디선가 익숙한 목소리가 들렸다.

"누이!!"

현일? 희미한 정신 속에서 그는 남동생의 목소리를 들었다. 왜 조선에… 아… 오늘 상해에서 온다는 사람들 중에 현일이 있었구나. 얼마나 또 한심하게 여길까. 나는 이제야 바뀌었다고 생각했는데. 자랑스러운 누이, 자랑스러운 딸이 될 수 있을 거라고……. 다른 사람들도 소란을 들은 듯 웅성거리는 소리가 들렸다. 곧이어 윤식의 주먹이 멈췄다. 다른 이들이 윤식을 끌어낸 것이다. 현애는 가쁜 숨을 몰아쉬었다. 현일의 목소리와 퍽퍽 거리는 소리가 들리는 걸 보니 현일이 윤식에게 주먹을 휘두르고 있는 것 같았다.

"난 괜찮아……."
"아니, 당신은 괜찮지 않아."

그때 누군가 그녀를 안아 올렸다. 항상 손목에 걸려있던 묵주가 툭, 하고 떨어졌다. 핏줄기가 흘러 눈앞을 가리는 바람에 누군지 보이지 않았지만, 그녀는 그가 누구인지 알 수 있었다. '그 남자'였다.

1920년 3월 1일
거사의 날이다.
우리는 끝까지 함께 할 것이다.

저는 개복치입니다

이재선

이재선 데이터를 분석하는 마케터이자, 취미로 글을 쓰는 크리에이터로 살고 있습니다. 타고나길 소심하고 내성적인 데다가 잘 놀라기까지 하여, 친구들이 나약함의 대명사인 개복치라고 부릅니다. 하지만 스스로는 나약해서 도태된 개복치가 아닌 1억분의 1의 확률로 살아남은 아주 강하고 튼튼한 성체 개복치라 소개하고 다닙니다. 힘들지만 얻는 것이 많은 활동을 좋아하고, 선한 영향력을 바탕으로 동료와 함께 성장하는 것을 지향합니다.

브런치: https://brunch.co.kr/@ggwotjs

"저는 개복치입니다."

　모르는 사람들과 첫인사를 할 때, 웃으며 나의 캐릭터를 '개복치'라고 소개한 지 1년 정도 되었다.

　세상 사람들은 개복치를 '작은 스트레스에도 물고기'라고 생각하고, 잘 놀라고 멘탈이 약한 사람들을 '개복치'에 빗대어서 표현하기도 한다. 어린 시절, 유독 내향적이고 주변의 사소한 변화에도 민감하게 반응했고, 그것은 사회에 진출하고 나서도 달라지지 않았다. 그리고 어느 순간부터 주변에선 이런 나를 개복치라는 별명으로 부르기 시작했다.

　처음엔 나약함의 대명사로 쓰이는 개복치라는 별명이 너무 싫었다. 그래서 개복치 같은 모습을 사람들에게 보이기 싫어, 장난기 넘치고 활발한 모습으로 숨기려 노력했다. 하지만 감정이 격해질 땐 어김없이 화도 제대로 못 낸 채 눈물을 뚝뚝 흘리거나, 집에선 스트레스로

밥도 제대로 소화하지 못해 손발이 차가워진 채로 무기력한 모습으로 보내기 일쑤였다. 이런 모습은 누가 봐도 '쉽게 죽는 개복치'였고, 누구에게도 보여주기 싫은 약점이었다. 그래서 이 약점들을 숨기며 '개복치'처럼 보이지 않기 위해 최선을 다해 버티며 살아남는 것에 집중했었다.

그런데, 나를 포함한 세상 사람들이 개복치에 대해 오해하고 있는 부분이 있었다. 알에서 태어난 개복치 3억 마리중 성체로 살아남는 개체는 10마리밖에 안 된다. 그래서 사람들이 나약함의 별명으로 사용하는 개복치는 성체로 성장하는 과정에서 죽은 개복치를 표현한 것이다.

하지만, 살아남은 10마리의 성체는 살아남기까지 수많은 위험과 그 흔적들을 몸에 새기면서 성장하지만, 살아남기만 한다면 아주 튼튼한 강골에 천적도 거의 없고, 생존력이 극에 달한 강한 물고기 중 하나다.

그래서 작년 어느 순간부터, 나는 숨기는 것을 그만두고 적극적으로 개복치가 되기로 결심했다. 더 이상 쉽게 죽는 나약한 개복치가 아닌, 끈질기게 살아남은 성체 개복치가 되기로...!

운수 좋은 개복치

"저 이번 주까지 일하고 회사 그만두게 되었어요."

21년 장마로 비가 쏟아지기 시작한 6월 말, 사업을 하고 있던 나에게 회사의 지분까지 제시하며 열정적으로 스카우트한 배정현 팀장님과 함께 에듀테크 기업에서 일하게 된 지 3개월 된 시점에, 팀장님이 잘렸다는 소식을 듣게 되었다. 그리고 그날은 내가 전환 평가로 경영진 앞에서의 PT 발표를 성공적으로 마치고 정식으로 회사의 마케터로 인정받은 날이기도 했다.

최근 팀장님이 업무에 지쳐 낯빛이 어두운 줄로만 생각하고 있었는데, 전혀 다른 이유일 것이라 상상도 하지 못했다. 퇴사를 이야기하는 그의 눈빛은 더 이상 교육 시장을 바꾸는 혁신적인 프로그램을 만들겠다던 비전을 가득 담은 눈이 아니었다. 그 비전을 이루기 위해선 반드시 내가 필요하다고 했던 자신감 넘치는 모습이 더 이상 보이지 않았다.

"왜 그만두시는 건가요?"
"혼란스럽겠지만, 성과가 부족하다고 하시네요. 저로서는 어쩔 수 없었다는 것만 알아주세요."

팀장님은 무언가 더 말하고 싶어 했지만, 끝내 이유에 대해서는 말하지 않고, 앞으로의 계획에 관해서만 이야기했다.

처음엔 너무 당황스러웠다. 나에겐 너무 기쁜 날이고 행복해야 하는 날인데, 그 기분이 10분도 채 가지 않은 채 바닥으로 곤두박질쳤다. 밖엔 비가 쏟아지고 나의 상황은 마치 운수 좋은 날 같았다. 하지만 겉으로 티 내지 않으며 이야기를 들으려 노력했다. 하지만, 이미 창밖의 빗소리처럼 시끄러워진 머릿속엔 어떤 소리도 들어오지 못했다. 이야기가 끝나고 당황스러움이 가실 때쯤 태연하게 자리에 앉아서 일하는 척을 했지만, 머릿속은 그 어느 때보다 번잡스러웠고 나도 모르게 손발이 떨리고 식은땀이 나기 시작했다.

가장 충격적이고 납득되지 않았던 부분은 우리 신사업본부가 초기 비즈니스 모델 테스트를 성공시키며 목표 성과를 250% 이상 초과 달성하는 상황에서 잡음 하나 없이 가장 선두에서 견인하고 있던 팀장님의 해고 사유가 '성과미달'이라는 것이었다,

'팀장님이 스카우트한 나도 같이 잘리는 건가?'

'난 이제 어떻게 일해야 하지?',

'여기서 잘리면 돈은 어떻게 벌지?'

'이 소식을 왜 오늘 얘기하는 거야?',

'나 취업 사기당한 건가?',

'이렇게 쉽게 잘리면 전환 평가가 의미가 있나?',

'성과가 좋았는데 왜 잘리는 거지?'

꼬리에 꼬리를 물고 생각이 끊이지 않았고, 팀장님이 떠난 이후에도 한동안, 이 생각들을 잠재울 수 없었다. 하지만 생계유지를 위해 일을 멈출 수 없었고, 팀원들이 알고 있던 업무와는 다른 미션을 팀장님이 달성하지 못했을 것으로 추측하려 노력했다. 하지만 한편으로는 이만큼 성과를 냈는데도 '성과미달'이라면 어느 정도의의 고성과를 내야 조직에서 언제 잘릴지 모른다는 불안감에서 벗어날 수 있을지에 대한 걱정이 끊이지 않았다.

걱정에 걱정에 걱정을 끊임없이 이어가며 개복치처럼 걱정의 바다에서 헤엄치고 있으면서도 이런 모습을 티 내지 않으려는 생각에, 업무를 한계까지 늘리고 하지 않아도 될 수많은 업무 요청까지 모두 도맡아 하기 시작했다.

매일 시간 가는 것도 모른 채 새벽 출근 – 새벽 퇴근을 반복하며 주말도 없고 밤낮 구분 없는 생활을 6개월쯤 반복했을 무렵, 다크서클은 팬더가 친구 하자고 할 만큼 점점 더 짙어졌고 누적된 피로는 데이트하러 나간 카페에서 잠들 정도로 쌓여있었다.

하지만 내가 사수도 없이 혈혈단신으로 기획하고 진행한 마케팅 프로젝트는 나의 모습이 초췌해지는 것과는 반대로 매달 설정했던 목표를 초과해서 달성하고 있었다. 고객 수는 적지만 평균 재구매율 80%를 달성하는 것에 기여했고, 순탄하게 고객 수도 늘어나며 프로젝트의 지속성을 인정받았다. 동료들이 걱정하는 만큼 인정과 칭찬도 비례해서 늘어났고, 나에게선 더 이상 개복치 같은 모습이 보이지 않는다는 만족감에 지쳤음을 알면서도 이 생활을 멈출 수 없었다. 어느샌가 배 팀장님의 해고 사건은 머릿속에 남지 않았고, 그를 대신해서 사람들에게 인정받고 있는 것처럼 느꼈다.

팀장이 된 개복치

밀도 있는 삶에 대해 인정 해 준 것인지, 이렇게 혼자 일하다가 쓰러질 수도 있다고 생각한 것인지, 회사에서 더 이상 혼자가 아닌 팀장으로서 마케팅팀을 꾸려도 된다는 허락을 받았다. 어린 나이에 팀장이 된 만큼 나를 포함한 5명 밖에 안 되는 작은 팀이지만, 그만큼 한 명 한 명에게 최선을 다해 누구에게도 무시당하지 않는 드림팀을 만들고 싶었다. 운 좋게 지원자 중 실력 좋은 지현님과 중혁님을 빠르게 채용할 순 있었지만, 그 이후로는 아무리 면접을 진행해 봐도 괜찮은 사람은 더 보이지 않았고, 그렇게 3개월이라는 시간 동안 나머지 2명을 채용하지 못한 채로 있었다. 기준을 좀 낮춰서 뽑아야 하나를 고민했지만, 쉽게 뽑은 사람은 쉽게 나갈 확률이 높다는 생각에 원래의 기준을 고수한 채 찾던 도중, 해답은 내 주변에 있다는 것을 깨달았다.

한 분은 cs 팀에서 커리어 전환을 고민하던 원진님과, 다른 한 분은 대학 동기로 평소 대화가 잘 통하던 미주님이었다. 원진님은 사직서를 쓰기로 했던 전날까지 끈질기게 설득해서 나의 개인 시간을 할애해서라도 노하우를 A to Z까지 교육해 준다는 조건으로 가까스로 합류시킬 수 있었고, 이직처를 찾고 있던 미주님은 원하는 연봉을 맞춰 준다는 조건으로 같은 팀이 될 수 있었다.

이렇게 구성된 드림팀은 조금 삐걱거리긴 했지만, 팀원 모두가 우수한 성적으로 전환 평가를 통과한 것도 모자라, 목표 고객 수와 매출을 빠르게 달성하며 VC(벤처캐피탈)의 가치평가 금액이 500억 이상의 가치를 인정받는 압도적인 성장을 이뤄낼 수 있었다.

고개 숙인 개복치

회사의 신사업이 진행되고 1년째 되던 날 전사 직원이 모두 모이는 타운홀 미팅이 열렸다. 생각보다 따뜻한 연말 날씨에 비처럼 아주 가는 눈이 내리고 있었다.

그동안 진행하며 팀원들과 함께 달성한 성과들로 가득 채워 발표 자리에서 자신 있게 발표를 진행했다. 그런데 뭔가 분위기가 이상했다. 항상 나를 칭찬하던 대표님과 경영진은 성과를 하나씩 공유할 때마다 탐탁지 않은 표정을 짓고 있었고, 발표가 끝나자마자 마이크를 들고 내가 공유한 성과들을 하나씩 부정하기 시작했다.

"A 기업은 돈 안 쓰고도 전환율과 매출의 두 배는 달성하던데, 그게 진짜 성과라고 할 수 있나?"

"A 기업은 업계 1위 기업으로, 이미 인지도가 압도적으로 높은 상황입니다. 하여 별도의 돈을 쓰지 않고 팬덤만 자극해도 구매할 사람들이 넘쳐나지만, 우리는 아직 초기 브랜드로 우리를 아는 고객보다 모르는 고객이 훨씬 많은 상황에서, 비용을 쓰지 않는다면 시장에 진입하기 무척 힘든 상황입니다. 오히려 이런 상황에서, 이 정도의 비용으로 성과를 낸 것은 우리가 유일합니다."

"흠... 유입된 사람은 14,000명이나 되는데, 구매한 사람은 760명밖에 안 되는 거지? 프로젝트 성공한 거 맞아?"

"네, 통합된 수치로 보면 적어 보일 수 있지만, 프로젝트를 진행한 9개월간의 월별 데이터를 보면 매달 유입자 수 대비 구매자 수는 꾸준하게 평균 5% 이상씩 늘어나고 있습니다. 시즌의 영향을 많이 받는 입시교육상품이 비성수기를 포함해서 매달 증가했다는 것은 시장에서도 보기 드문 사례로, 이 프로젝트가 성공했다는 증거입니다."

"내가 따로 보고 받았던 내용이랑 다른 것 같은데, 이거 수치 제대로 확인한 건가?"

"어떤 데이터를 보고 받으셨는지 알 수 있을까요? 현재 보고 계신 이 데이터가 가장 최근에 가공한 최신 데이터인데, 혹시 확인이 필요하시다면, 이 자리를 마무리하고 다시 확인해서 따로 보고드리도록 하겠습니다."

분명 사전에 보고했던 내용을 공유하는 자리인데, 이전에 없었던 날이 서 있는 질문이 쏟아졌다. '왜 그러시지?'라고 생각하면서도, 답변하는 데 어려운 질문은 없어 정신없이 답변했지만, 세 번째 질문을 답변하는 과정에서 경영진은 답변을 제대로 들을 생각도 없고, 발표 내용이 궁금해서 질문하는 게 아니라는 것을 깨달았다.

우리의 성과와 상관없이 벗어난 맥락의 질문과 부정적인 질문이 반복되며, 달성한 목표는 다른 곳이 쉽게 달성할 수 있는 목표가 되어있었고, 공유한 데이터도 잘못된 데이터인지 제대로 확인조차 안 한 팀이 되어있었다. 억울함을 느꼈지만, 영문을 알지 못했기에, 얼굴이 빨개진 채로 웃으며 '도대체 나에게 왜 이러는 거지?'라는 의문밖에 가질 수 없었다.

그 이후로는 어떻게 답변했는지 전혀 기억나지 않는다. 그러다가 정신을 차린 건 자리에 돌아와 앉아서 문제집 팀의 하정인 팀장이 발표하는 걸 듣다가 묘한 기시감을 느꼈을 때였다. 처음 보고 듣는 내용이어야 하는데도, 너무나 익숙한 내용과 자료들이 나와 있었다.

그 내용이 익숙했던 이유는 최근 석 달 전부터 내가 직접 발로 뛰며 거래처를 뚫고 준비했지만, 거래처 계약 직전에 대표님의 갑작스러운 지시로 무산된 B2B 시장 진출 프로젝트 내용에서 담당자와 거래처 이름만 바뀐 채 그대로 담겨있었기 때문이다.

'도대체 이게 무슨 상황이지?'

옆에 팀원이 그렁그렁한 눈으로 나에게 따지며 물어왔다.

"지성님도 저 팀이 B2B 프로젝트가 문제집 팀에 넘어간 거 알고 있었어요?"

"아뇨...? 그럴리가요. 다 같이 준비했던 프로젝트인데, 최소한의 공지도 없이 넘길 리가 없죠."

"그러면 저기서 발표하고 있는 내용은 뭔가요? 저희가 준비하던 내용에 거래처만 바뀌고 완전 똑같은데!"

동료가 화를 내고 있듯이 나또한 당황스러움, 억울함, 화남 등의 감정이 몰려오면서 아무런 말도 들리지 않았고, 술을 싫어하는 내가 집에서 혼자 기억을 잃을 정도로 마셨던 기억만 남아있다.

그리고 그 감정은 술을 진탕 마셔도 해소되지 않았는지, 그대로 남아있었고 일어나자마자 바로 대표님을 찾아가 이게 어떻게 된 일인지 물었다.

"대표님, 분명 시기가 아닌 것 같다고 하시면서 다음에 기회에 다시 진행해 보라고 하시지 않으셨나요? 어떻게 상의도 없이 저희 팀이 함께 노력한 프로젝트를 그대로 넘겨주실 수 있어요?"

"그때는 시기와 거래처 조건은 분명 아니었어, 그런데 하 팀장이 조건이 훨씬 좋은 거래처를 소개해 줘서 그쪽 팀에 맡겨 본 거야. 무슨 문제 있나? 어떤 일이든 더 잘할 것 같은 담당자나 팀에게 맡기는 건 당연한 거로 생각하는데? 대표가 이런 일 하나하나 자네한테 상의해서 결정해야 한다고 따지는 건가? 그리고 그런 말을 하려면 제대로 된 성과나 내고 주장하는 게 맞는다고 생각하지 않나?"

"저희 팀은 분명히 저 혼자 임의로 설정한 목표가 아닌, 대표님과 함께 논의하고 합의한 끝에 목표를 정했고, 그것을 초과 달성했습니다. 혹시 제가 부족해서 잊고 있던 다른 목표나 기준이 있다면 말씀해 주실 수 있으실까요?"

"그걸 내가 왜 알려줘야 하지? 그리고 그땐 내가 잘 몰라서 그냥 넘어갔는데, 하 팀장에게 들어보니 업계에선 한참 미달하는 기준이라고 하더라고!"

"대표님! 신사업이라는 게 업계 평균이라는 데이터가 존재한다는 건 말이 되지 않습니다. 하 팀장이 보여준 자료가 어떤 것인지는 모르겠지만, 아마 한참 전부터 자리 잡고 있는 문제집이나 교육 브랜드의 자료를 들고 왔을 텐데, 저희가 가진 신사업 제품과 비교하면 성과가 부족해 보이는 것은 당연할 수밖에 없고, 더욱이 저희와 제품과 시장도 완전히 다른 상황에서 같은 기준으로 비교한다는 것은 맞지 않습니다."

"그게 왜 당연하다고 생각하지? 지금 내가 자료 하나 제대로 비교하지 못한다고 생각하는 건가?"

"그런 얘기가 아니라..."

분명히 피해를 본 것은 나와 팀이었지만, 결국 난 대표님과의 대화에서 어떠한 사과는커녕 우리 팀이 고생해서 달성한 성과까지 대놓고 부정당했고, 이런 상황이 발생하게 된 이유도 듣지 못했다. 그리고 그때부터 조직 내에서 마케팅팀을 대상으로 한 묘한 따돌림과 괴롭힘이 시작되었다.

당연하게 지급되어야 할 신규 입사자를 위한 물품이 한 달이 넘어가도록 제공받을 수 없었고,

갑자기 다른 팀에서 제대로 된 절차와 협의 없이 우리 팀의 인력을 마음대로 활용하려는 일이 늘어나기 시작했다.

타운홀 미팅부터 제대로 된 이유도 모른 채 우리 팀은 사내에서 괴롭힘과 이간질이 시작되었고, 중립을 지키는 개발 이사님을 제외하곤 아무도 우리의 편을 들어주지 않았다. 나를 비롯한 마케팅팀원들은 업무와는 상관없이 스트레스를 주는 환경에 지쳐갔고, 특히 칭찬과 성과를 진통제 삼아 버티고 있던 나의 상태가 급격히 나빠지고 있었다.

매일, 매시간 퇴사를 고민했지만, 내가 직접 설득하고 꾸린 이 팀을 내가 먼저 떠날 수 없다는 책임감에 끙끙 앓으며 하루하루를 보냈다. 인정받기 위해 쉬지 않고 일만 보고 달려왔지만, 어찌할 방법이 없다는 무력감과 내가 무언가 잘못 해서 이렇게 되었다는 자책감은 계속해서 자존감을 갉아먹었고, 그렇게 숨기려고 노력했고, 깊숙이 숨겨졌다고 생각했던 개복치 같은 모습이 다시금 자연스럽게 나오기 시작했다.

그리고 팀원들과 술자리를 하다가, 미주님에게 회복 불가능한 이야기를 듣게 되었다.
"지성님, 저 사실 원하는 연봉 못 받았는데 지성님한테 피해가 갈까봐 남아있는 거예요."

알고 보니, 계약서를 쓰는 날 인사팀장이 이야기했던 연봉보다 한참 부족한 계약서를 들고 와서 사인하지 않으면 채용하지 않겠다는 협박을 했고, 이미 이곳과 이야기가 되어 다른 이직처를 거절한 상황이다, 친구로서 채용을 추천한 내가 피해 볼까 봐 울며 겨자 먹는 심정으로 계약서에 사인했다고 한다.

담담하게 전하는 그 이야기에, 도움을 요청할 방법도, 해결할 방법도 없는 나약한 나 스스로에게 화가 치솟았다.

"미안합니다..."

내 잘못인지는 모르겠지만, 내가 유일하게 할 수 있는 것은 그저 진심으로 사죄하는 방법밖에 존재하지 않았다.

나는 그렇게 어느 팀원에게 고개 숙인 개복치가 되었다.

결심한 개복치

책임감이라는 요소 하나로 버틴 채 빈 껍데기처럼 회사에 다니던 와중, 작년 나를 스카우트 하고 떠났던 배정현 팀장님께 밥이나 먹자는 연락이 왔다.

그리고 이젠 팀장이 아닌 다른 기업의 이사가 되어있는 명함을 전달해 주며 떠난 지 1년이 넘어서야, 본인이 떠날 수밖에 없었던 이유를 알려주었다.

"알고 있겠지만, 우리 신사업본부는 성과를 정말 잘 내고 있었지만, 규모가 있는 회사였기에 기존에 문제집 팀이나, 경영지원팀 같은 곳들과 대표님과의 관계가 무척 끈끈해요. 성과로 아무리 주장해 봤자, 우리들은 그저 굴러온 돌에 불과할 뿐이더라고요. 작년엔 하 팀장이 대표님께 제가 매번 허위 성과를 보고하고 있다고 얘기했나 봐요. 허위보고는 한 적도 없는데 대표님은 그 말만 듣고 저에게 해명할 기회도 주지 않고 그렇게 일주일 만에 그만두라고 할 줄은 몰랐죠. 지금 생각해 봐도 어이가 없긴 하네요."

"혹시나 조직 내에서 다른 팀들이나 대표님하고 이유 없이 사이가 멀어지고 그랬다면, 자책하지 마세요. 지성님 잘못 아니니까. 오히려 이렇게 된 건 지성님이 너무 잘해서 저 사람들이 본인들 밥그릇 뺏길까 봐 위기감을 느껴서 이렇게 된 거죠."

"그럼. 하 팀장은 왜 이렇게까지 하는 걸까요?"

"아무래도 하 팀장의 문제집 팀은 사양 산업이다 보니, 매번 신사업 본부를 경계했었어요. 신사업본부가 잘되면, 본인들의 입지가 좁아질 거로 생각하나 봐요. 저 이전에도 세 명의 팀장이 모두 하 팀장과의 알력싸움에서 밀려나서 3개월도 못 버티고 떠났다고 하더라고요. 그래도 저는 1년을 넘게 버텼으니 하 팀장 눈에는 가시 같은 존재였겠죠."

이런저런 이야기를 듣다 보니, 사소한 물품 구매부터, 예산 반려, 다른 팀의 비협조적인 태도, 약속된 성과를 인정하지 않던 대표님, 타운홀 미팅 등 머릿속에서 이유를 몰라 꼬여있던 실타래가 하나, 둘 풀리기 시작했다. 그리고 이렇게 배 이사님이 날 따로 찾아와서 이야기해 준 이유는 혼자 떠났다는 미안함도 있었겠지만, 다시 함께 일하자는 스카웃 제안이었다. 하지만, 길게 고민하지 않고 거절했다. 실타래를 풀어준 건 감사한 일이지만, 팀원들에 대한 책임감이 아직 무겁게 짓누르고 있었다.

그래도 의도와 이유를 알게 되니, 괴롭기만 했던 회사 생활을 전보다 유연하게 받아들일 수 있었다. 그리고 팀원들을 모아놓고 배 이사님께 들은 내용과 나의 마음을 털어놓고 이야기할 수 있었다.

"회사 분위기가 이런데, 제대로 지켜주지 못해서 미안해요. 언제든지 이직하고 싶으면 이야기하세요. 여러분들이 여길 떠날 때까진 책임지고 옆에서 최선을 다해 도와줄게요."

이 말을 들은 팀원들은 웃으며, 어서 다들 좋은 곳에서 다시 팀으로 모였으면 좋겠다고 얘기하며 맞장구쳤지만, 미주님은 한마디도 하지 않고 굳은 표정으로 본인의 자리에 돌아가 일에 집중했다.

그리고 그날 저녁 미주님이, 나를 옥상으로 따로 불러내서 회사 건물이라는 것도 잊었는지 갑자기 반말로 불같이 화를 내며 따지기 시작했다.

"제일 죽을 것 같은 표정으로 책임진다는 소리 좀 그만하면 안 돼? 뭘 자꾸 책임져? 우리가 네 자식이야? 넌 그냥 채용을 진행한 거고, 어떤 이유로든 무를 수 있었는데도 선택해서 계약한 건 우리야. 넌 이미 혼자 힘으로 우리 데려와서 제대로 교육해 주고 성공 경험까지 만들어 준 것만으로 니 책임 다 한 거니까, 같잖은 책임감 집어치우고 우리 말고 너 스스로나 잘 책임져! 맨날 좀비 같은 얼굴로 도와준다고, 책임진다고 아무~리 말해봤자 아무 도움 안 되니까 헛소리할 시간 있으면, 퇴근해서 발 뻗고 잠이나 자! 이야기 들어보니까 너 잘못 없다며? 연봉 깎인 건 나고 깎은 놈은 인사팀인데 왜 자꾸 네가 지박령처럼 회사 남아서 지지리 궁상이야? 회사에 있으면 뭐가 해결돼? 그리고, 우리 도와줄 거면 회사에 박혀있는 게 아니라 밖에 돌아다니면서 우리가 갈 곳이라도 좀 더 찾아보고 그래야지 회사에 있으면 무슨 도움이 되는데? 하! 이 개복치 새끼 진짜. 네가 그러고 있으면 우리가 힘들다고 제대로 이야기나 하겠냐고~!"

순식간에 랩 하듯이 쏘아댄 팀원이자 친구인 미주님은 씩씩대며 그대로 퇴근해서 사라졌고, 나는 시간이 한참을 지나도록 멍하니 서 있었다. 따끔한 쓴소리가 머릿속에 박혀 잊히지 않았다. 분명 나에게 화를 쏟아냈고, 대놓고 개복치라고 욕도 먹었는데, 전혀 억울하고 당황스럽지 않았다. 곧 비가 올 것 같은 후덥지근한 날씨인데도 가슴이 뚫린 것 같이 가슴 속의 시원함이 내 주변을 계속 맴돌고 있는 기분이었다.

이 후덥지근한 시원함을 만끽하며 어느새 뚫린 가슴 밖으로 나와 있는 개복치에게 질문을 던졌다.

'내가 옆에서 나의 노하우를 조금 더 알려준다고 도움이 될까?'
'아니, 크게 도움 되지 않을걸.'
'내가 옆에서 욕이나 불합리한 상황을 대신 받는 게 도움이 될까?'
'아니, 위로는 되겠지만 실질적인 도움은 안 될거야.'
'그럼 팀원들은 당장 내 도움이 필요할까?'
'음... 도움이 안 되진 않겠지만, 너의 도움이 없어도 크게 문제없을

거야.'

'그럼 내가 도움을 줄 방법이 뭘까?'

'남이 아니라 너를 챙겨봐. 너와 함께 일해 본 경험이, 너에게 추천서를 받을 수 있는 그 인맥이 스펙이 되도록, 너 스스로 더 괜찮은 사람이 되어봐!'

'그럼 내가 지금 바로 할 수 있는 건 뭐가 있을까?'

'일단 고인 우물에서 벗어나야지!'

"그래, 그래야겠네."

그렇게 난 퇴사를 결심했다.

성체 개복치

아무리 걱정 한가득한 개복치라도 오랜 고민 끝에 스스로의 답을 내린 만큼 실행은 거칠 게 없었다. 팀원과 회사에 바로 퇴사 소식을 전한 지 2주 만에 회사를 나올 수 있었다. 그리고 처음 취준 하던 시절보다 훨씬 많은 이력서를 넣고 쉴 새 없이 면접을 보기 시작했다. 취준생 시절과 달라진 점은 명확했다. 그땐, 회사에 나를 어떻게든 꿰맞추며 좁은 틈을 비집고 들어가기 위해 노력했다면, 이젠 나를 그대로 둔 채 나의 기준에 맞춰줄 수 있는 회사를 찾기 시작했다. 연봉, 복지, 조직 문화 등 어느 것 하나 포기하지 않으려 노력했고, 내가 할 수 있는 최상의 결정을 하기 위해 많은 시간을 보냈다. 그리고 이 과정에서, 내가 걱정과 불안이 많은 개복치라는 것을 표현하기 시작했다.

특히 50곳이 넘어가는 곳을 면접을 보면서 최종 합격한 곳도 많았고, 초반에 떨어진 곳도 많았지만, 대부분이 고생과 걱정으로 가득했던 개복치 일대기를 가치 있고 귀중한 경험을 쌓아왔다고 말해주었다.

명확한 수치적인 기준 없이, 존재 할지 안 할지 모르는 내가 더 나아울 수 있는 곳을 찾아, 6개월이 넘는 시간 동안 셀 수 없는 기업과 사람들을 만났고, 만나게 되었다.

여느 때의 면접과 같이 나의 걱정과 불안이 많은 개복치라는 것을 밝히고 평범하게 면접이 끝나는 시점에, 들은 말은 망설임 없이 이 조직을 선택하게 만든 말이었다.

"지성님은 스스로 걱정과 불안에 휩싸인 개복치라고 소개하셨지만, 제가 봤을 땐 이미 단단하게 잘 성장한 성체 개복치로 보입니다. 우리는 지성님과 같은 단단한 마음을 가진 분이라면 꼭 함께하고 싶습니다. 충분히 고민해 보시고, 꼭 답변 주셨으면 좋겠습니다."

솔직히 이때 난 일반 개복치와 성체 개복치의 차이에 대해 알지 못했지만, 저 말을 듣고 이미 마음을 반쯤 빼앗겼다. 그리고 집에 돌아가는 길에 성체 개복치에 대해 검색해 보고 집에 도착하기도 전에, 합류하겠다고 답장을 보냈다.

그리고 그때부터, 면접 자리가 아닌 처음 만나는 사람에게도 자신 있게 별명이 '개복치'라고 소개하기 시작했다. 더 이상 개복치는 나에게 숨겨야 할 약점이 아닌, 나만이 뽐낼 수 있는 값진 무기다.

거울 조각

이지현

이지현   읽고, 기록하고, 쓰는 것이 취미인 사람

인스타그램: hyeonln

블로그: https://m.blog.naver.com/dhfksakstp

브런치: https://brunch.co.kr/@67aa668d53fb4a7

나는 매일 작은 거울을 하나씩 부순다. 그걸 깨뜨리면 널브러진 파편들이 내게 달려와 붙을 것처럼. 반짝거리는 그것들이 내 피부가 되어 새로 태어나기라도 할 것처럼. 작은 거울들을 매일 깨뜨리다 보면 발끝부터 머리까지 덮여질 것만 같아서, 나는 조금씩 깨뜨린 거울 조각들을 모으기 시작했다.

*

"다운아."

나를 다정스레 부르는 목소리에 욕실 문밖을 쳐다봤다. 빈이다. 작게 웃어 보였더니 빈이도 따라 웃었다. 빈에게 잔소리를 듣기 전에 얼른 화제를 돌리려고 했다. 언제 왔어, 나 배고파. 빈은 내게 속아주지 않고 물기 있는 바닥을 양말을 신은 채로 밟았다. 그리고 거울이 있는 내 쪽으로 걸어 들어왔다. 닫아 놓은 것처럼 보였던 홀로그램 커튼은 빈의 지문을 가져다 대니 쉽게 사라졌다.

"혼자 밥 챙겨 먹으라니까 또 거울 보고 있네."

빈은 내 양 볼을 부드럽게 감싸고 코를 맞대면서 장난스레 이야기했다. 같이 먹으려고 기다렸지, 말끝을 늘리며 장난스럽게 대꾸하자 빈은 습관처럼 내 볼 뒤를 만지작거렸다. 익숙한 감촉이었지만 그 손을 잡아 내리고 싶었다.

"징그러워?"

나도 습관처럼 작게 말을 뱉었고 순간 숨을 들이켰다. 고개를 들어 빈의 표정을 살폈다. 잠시 정적이 일었다. 미처 다 잠기지 않은 샤워기에서 떨어지는 물소리만 간헐적으로 들렸다. 공기가 어색해지려는 찰나 빈은 차분한 목소리로 입을 열었다.

"그런 생각 한 번도 해본 적 없어."

여전히 다정한 얼굴이었지만, 조금 화가 나 보였다. 거짓말. 그래서 그 말은 속으로 삼켰다.

조금 어색하게 소파에 앉아있었다. 무표정한 빈의 얼굴에 쉽게 말을 걸 수가 없었기 때문이다. 빈은 내가 혼자 무의미하게 거울 보고 있는 모습을 속상해했다. 그걸 알면서도 오래된 습관을 고치기가 어렵다. 고개를 숙이고 발끝만 바라보고 있었다. 그때 빈이 가지고 있는 손목 디지털시계의 버튼을 눌렀다. 우리 앞에 커다란 홀로그램 모니터가 띄워졌다. 아무것도 없는 허공에 모니터만 둥둥 떠 있었다.

"다운아. 이거 봐봐."

모니터엔 큰 글씨의 광고가 걸려있었다.

'다른 사람의 삶을 경험해보세요! 주인공이 되고 싶다면 터치!'

빈이 모니터를 건드렸더니 뇌를 형상화한 것 같은 모양의 홀로그램이 등장했다. 정부의 캐릭터다.

"안녕하세요-! 제 이름은 G-브레인! Goverment-Brain(정부-뇌)의 약자입니다. 해당 광고를 보시겠어요?"

응. 빈이가 대답하자 화려한 홀로그램이 등장했다. 지브레인은 설명을 시작했다. 목소리가 아이 같았다.

"다른 사람의 삶을 살아보고 싶지 않으신가요? 우리는 책이나 영화를 보고 타인의 삶을 짐작합니다. 그 사람의 경험이나 기분 같은 것들을 글이나 이미지, 영상을 통해 전달받죠. 아니면 주변 사람을 보며 그 사람의 삶을 상상하기도 합니다. 하지만 정부에서 개발한!"

갑자기 지브레인이 큰 소리를 내어 당황했다. 정부에서 개발했음을 강조하는 것 같았다. 다른 사람의 삶을 살아본다는 말이 귀에서 맴돌았다.

"'유어 라이프' 프로그램을 통해 다른 사람의 삶을 체험해볼 수 있습니다. 뇌와 연결된 기계를 통해 가상 현실 세계에 진입합니다. 원래 자신의 뇌는 잠시 마취되어 꺼지고 타인의 경험이 담긴 인공 뇌가 켜집니다. 뇌에 무리가 가지 않기 위해 단 5분 동안만 진행합니다. 가상 세계에 들어가면, 그 사람이 되어볼 수 있습니다. 원래 자신의 뇌는 꺼진 상태니까요. 체험이 끝나면 가상 현실에서 겪었던 기억을 가지고 원래의 뇌가 깨어납니다. 체험한 기억이 입혀지면서 우리는 타인의 삶을 겪어본 사람이 되는 거예요."

지브레인은 의기양양한 표정으로 설명을 이어갔다. 현재 가장 많이 사용되는 것은 교육용 프로그램이라고 한다. 학교에선 특정 직업을 가진 사람의 삶이나 사회적 약자의 삶 등의 교육적으로 필요한 부분에서 이용하고 있다. 원활한 프로그램 진행을 위해선 많은 사람의 뇌 데이터가 필요하다. 하지만 윤리적인 문제로 금전적인 거래가 금지되어 있다.

"그래서 이 광고를 보는 당신! 당신의 삶의 데이터를 기부해 주세요. 그러면 프로그램 체험권이 1회 무료로 제공됩니다. 유어 라이프와 함께 더 좋은 세상을 만들어갈 수 있습니다. 당신이 도와준다면요!"

지브레인은 마지막 말과 함께 윙크를 날리곤 모니터 속으로 사라졌다. 관련 프로그램이 개발되고 있다는 건 뉴스에서 얼핏 들었다. 그런데 벌써 상용화가 된 줄은 몰랐다. 며칠 전 뉴스에선 프로그램 원리에 대한 설명과 함께 뇌 데이터를 기부한 사람의 인터뷰를 보여줬다. 그 기억을 떠올려보았다. 유어 라이프는 사람들의 뇌 경험 데이터를 수집한다. 하지만 발달한 기술로도 사람들이 평생 해온 경험을 전부 추출할 순 없다. 그래서 특정한 경험을 떠올리게 한 뒤, 해당 데이터를 모은다. 예를 들어, 직업적 경험을 기부하려는 사람들은 직업과 관련된 여러 가지 경험을 떠올린다. 노인의 삶을 공유하고 싶은 사람은 자신이 노인이 된 후 노인으로서 겪는 경험을 떠올리면 된다. 그때 뉴스에서 보여줬던 경험 기부자는 직업적 경험을 기부한 40대 웹 코딩 개발자였다.

"저는 제 인생이 지겨웠어요. 벌써 15년 차 개발자인데, 반복되는 일상이 지긋지긋했단 말이죠. 보람이나 의미도 없는 것 같고…. 우연히 유어 라이프를 알게 되어 경험을 기부하러 갔어요."

개발자는 야근이 반복되는 지루한 일상에 즐거움을 느끼지 못했다. 하지만 우연히 본 광고에서 '누군가에게 도움을 줄 수 있다.'라는 말에 기부를 결심했다. 프로그램이 끝나면 기부자와 체험자를 연결해 주는 제도가 있는데, 그것이 가장 인상 깊었다고 전했다.

"그 아이는 제 뇌 데이터를 경험한 고등학생이었어요. 실제로 대면한 건 아니에요. 모니터로 화상 통화하듯이 만났죠. 아주 어릴 적부터 꿈이 웹 개발자였대요. 그렇게 훌륭한 프로그램을 만든 사람의 뇌를 체험할 수 있는 게 영광이라고 말하더라고요."

개발자의 말을 듣던 인터뷰어가 물었다.

"그때 어떤 생각이 드셨나요?"

"어린 나이에 간절한 꿈을 가진다는 게 대견했어요. 그리고…. 내 지루한 삶이 누군가에겐 그토록 바라는 것이라니, 좀 충격이었죠. 다시 젊을 때처럼 열심히 살아보려고요."

개발자는 그렇게 얘기하면서 활짝 웃었다. 이 제도를 통해 기부자의 만족도가 올라간다. 유어 라이프는 상당한 고급 기술이 들어가는 만큼 학교처럼 교육적, 공익적 목적으로 사용하는 것이 아니면 회당 비싼 비용을 내야 한다. 하지만 기부자에게는 한 번의 체험권이 주어진다. 그렇게 며칠 전 봤던 뉴스의 기억을 떠올리고 있을 때, 빈이 입을 열었다.

"어때? 같이 기부해볼래?"

빈이 내 어깨를 잡으며 다정스레 물었다. 나는 생각에 잠겼다. 뒤이어 빈이 읊조리듯 이야기했다. 난 내 귀와 관련된 경험을 기부해볼 거야. 내게 괴로운 경험이더라도, 다른 사람이 느끼기에 다를 수도 있잖아? 빈의 말을 듣고 고민에 빠졌다. 내가 공유하고 싶은 삶의 경험이라. 잊고 싶어도 잊을 수 없는, 마음 한편에 늘 가지고 있는 경험 하나를 떠올렸다.

스무 살에 환경 공학 연구가 유명한 대학에 입학했다. 본격적인 전공 공부를 시작해 괜히 들뜬 마음이었다. 빈이는 같은 대학의 생명과학 연구부에 속해있었다. 우리는 봄에 들어간 지구 환경 프로그램 개발 동아리에서 처음 만났다. 서로 동아리 활동을 명목으로 자주 볼 기회를 엿보던 때였다. 살랑거리는 꽃잎이 떨어지는 봄날의 저녁. 빈과 나는 우연히 집으로 가는 시간이 겹쳤다. 우리는 10분도 걸리지 않는 거리를 빙빙 돌았다. 빈이는 내 손끝을 스치듯 가까운 거리에서 걷다가 결심한 듯 자리에 멈춰 섰다. 노을을 등에 지곤 내 손을 잡았다. 그리고 그날 우리는 사귀게 되었다.

그에 반해 스물한 살 여름은 춥고 흐렸다. 그때도 전례 없는 이상 기후라고 기상 캐스터 로봇들이 떠들어댔던 것 같은데, 매년 극악무도한 더위가 가속되어 다들 별 감흥도 없었다.

우리는 대학교 2학년생이 되었다. 그날은 빈이와 일주년이 되는 날이었다. 약속 시간이 다 되었다는 알림이 손목의 스마트 워치에서 울렸다. 나는 지름길인 상가를 통해 약속 장소인 신호등까지 급하게 뛰어가던 중이었다. 그 상가 건물은 100층 정도로 그리 높지 않은 편에 속했다. 상가의 1층에는 번쩍거리는 거울이 가득한 미용실이 있었다. 유독 거울이 많은 곳이었다. 사방이 거울로 가득한 공간에 시선을 빼앗겼다. 급하게 뛰어가고 있었다는 것도 잊고 그 자리에 멈춰 섰다. 그대로 유리창 밖에서 미용실을 바라봤다. 와, 반짝거린다. 아이처럼 감탄했다. 거울은 아직 홀로그램으로 완벽하게 흉내 낼 수 없다던데. 홀로그램 기술에 관심이 가던 차에 그런 생각이 들었다. 무언갈 비추는 건 가능해도 저 특유의 반짝거림은 완벽하게 구현할 수 없는 걸까? 그런 생각을 하던 와중에 눈이 멀어버릴 것처럼 무언가 크게 불빛을 내며 튀어 올랐다. 반짝거렸던 거울들이 조각나 나를 덮치는 것 같았다. 순식간이었다. 이내 눈앞이 깜깜해졌고, 귀로는 무언가 터지는 소리가 들렸다. 내가 살면서 들어본 소리 중에 가장 컸다. 그리고 바닥에 머리를 부딪혔고 이내 암전되었다.

그 뒤의 기억은 흐리다. 처음엔 오른쪽 눈밖에 뜰 수가 없었다. 딱딱한 병원 베개에 뒤통수가 아려왔다. 왼쪽 얼굴부터 목까지 이어지는 피부에 화끈거리는 통증이 느껴졌다. 어떤 상황인지 이해가 되지 않았다. 가장 먼저 빈이를 찾았다. 목소리가 제대로 나오지 않았다. 흐릿하게 보이는 병실엔 빈이 홀로 의자에 앉아 잠들어 있었다. 빈아…. 쇳소리로 몇 번 발음하자 빈이 잠에서 깨어났다. 빈이는 날 보고 당황하는 듯싶더니, 침대에 있는 의사 호출 버튼을 몇 번이고 눌렀다. 그리고 처음 듣는 목소리로 울부짖기 시작했다. 빈이의 목소리가 아

니었다. 그건 짐승에서나 날법한 소리였다. 끓다 못해 숨이 막혀 죽을
것만 같은 울음이었다. 나는 통증도 잊고 그 모습에 당황했다. 빈이는
나를 차마 만지지도 못했다. 계속 이상한 소리로 울었다. 다운아, 다
운아. 그 정도의 말만 알아들었다. 멋모르고 반대편으로 고개를 돌려
병실의 유리창을 보았다. 어둑한 밤의 유리창에 비친 내 모습을 보고
숨을 멈췄다. 괴물이 누워있었다. 어른이 생각하기에 유치한 단어였
지만, 괴물이라는 말만 머릿속에 휘몰아쳤다. 왼쪽 상반신 전체가 붕
대로 감겨있었다. 머리카락이 달려 있는지도 불분명했다. 내가 아니
야. 유리창 속 흐린 모습에 내가 정확히 어떤 상태인지는 몰랐지만, 눈
물이 흘렀다. 붕대로 감긴 왼쪽 눈에서 흐르는 눈물은 오른쪽 눈물보
다 뜨거웠다. 마치 피를 흘리고 있는 것 같은 기분이었다. 괴물이 되었
다는 절망은 계속 몰아쳤다. 매일 울었다. 다친 지 한 달이 다 되어가
도록 내 눈으로 거울을 보지 못했다.

　괜찮아 다운아, 괜찮아. 빈이의 그 말을 주문처럼 계속 되풀이할
뿐이었다.

　미용실에서 가스통에 연결된 기계가 갑자기 폭발했다. 분명 정부
에서는 환경 보호와 안전상의 문제로 가스를 이용하는 기계를 금지해
왔다. 이제 가정에서도 가스를 이용하는 불은 아예 사용하지 않는다.
하지만 이름을 들으면 알 법한 유명 미용실에서 가스 기계를 이용하
고 있었다는 사실에 조사에 착수했고, 관련자들은 처벌을 받았다. 해
당 미용실에 있던 직원과 고객 모두 다쳤지만, 다행히 사망자는 없다.
유리창에 붙어 거울을 구경하던 나는 왼쪽 상반신 중심으로 뜨거운

유리 알갱이가 박혀 크게 화상을 입었다. 처음에 빈이는 내 왼쪽 눈이 보이지 않을까 걱정했다. 나는 한 달 반이 지나서야 처음 붕대를 풀어 보았다. 그때 거울을 처음 봤다. 빈이는 내가 오른쪽 눈을 감아도 왼쪽 눈으로 앞을 볼 수 있음에 안도했다. 하지만 나는 녹아내린 왼쪽 얼굴이 비친 거울을 한참 동안 바라보고 있었다. 왼쪽 볼부터 어깨까지 내려가는 곳에 아주 큰 화상 흉터가 생겼다. 피부층을 뚫고 들어간 뜨거운 유리 때문에 살이 녹아내렸다. '유명 미용실 폭발 사고'라는 자극적인 제목으로 매스컴을 탄 탓에 작은 모금 행사도 열렸다. 그래서 온갖 신식 기계를 동원한 치료를 받을 수 있었다. 아주 작은 마이크로 수술 기계가 붕대 안으로 들어가 화상 자국을 치료해주었다. 그래서 아프게 매번 붕대를 풀지 않고도 화상 자국을 치료할 수 있었다. 나는 가을이 다 지나기 전에 집으로 돌아갈 수 있었다. 하지만 많이 호전된 화상 자국을 보고도 밤에 자주 울었다. 성인이 된 후 외모 관심도가 절정에 이르던 나이였다. 원래도 화장품과 옷에 관심이 많았다. 내 친구들이 로봇 에스테틱 샵에서 관리받은 사진을 자랑할 때, 나는 거울을 보며 괴물의 얼굴이 되었다는 생각을 자주 했다. 그 여름은 내게 아주 서늘하다 못해 추웠다.

나는 꾸준히 치료를 받았다. 직장인이 되어서는 피부과와 성형외과를 오가며 흉터를 더 완벽하게 회복하기 위해 애썼다. 살이 녹아내렸다는 생각이 들던 스물한 살 여름과 비교하지 못할 정도로 많이 치료되었다. 하지만 누가 봐도 징그러운 흉터가 남았다. 울퉁불퉁하게 남은 흉터 자국은 완벽하게 없앨 수 없다. 죽기 직전의 사람도 기술로

살려낸다는 시대에, 고작 얼굴에 있는 화상 흉터를 완전히 없앨 수 없다니. 의사는 오른쪽 피부와 완전히 같아지기 위해서는 피부를 전부 벗겨내고 덮어야 한다고 이야기했다. 눈과도 연결되어 있기에 위험하고 비용도 만만찮게 든다고 한다. 빈은 눈이 위험해질 수도 있다는 말에 내 수술을 말렸다. 나도 피부를 전부 벗겨내다시피 해야 한다는 사실에 겁을 먹었다. 그래서 이 커다란 흉터를 가지고 살아가야 한다.

나는 하루에 최소 두 시간은 거울을 본다. 그 여름 이후로 굳어진 습관이다. 남들처럼 거울을 보며 화장품을 바르거나 머리를 만지는 것이 아니다. 세면대에 손을 짚고 서서 뚫어지게 얼굴을 본다. 내 눈동자가 어색하다고 느껴질 만큼 뚫어지게 본다. 그러면 거울을 부수고 싶다는 생각이 든다. 왼쪽 목 뒤부터 눈까지 이어지는 화상 흉터. 크지 않고 함몰된 눈. 짝짝이인 눈매. 불퉁한 코와 매끈하지 못한 입…. 그런 것들이 보인다. 괴물이다. 그런 생각을 한다. 큰 사고는 사람을 비뚤어지게 했다. 내 얼굴을 벗겨 원하는 대로 만들어 다시 쓸 수 있다면 얼마나 좋을까, 또 말도 안 되는 상상을 했다.

*

입구에 들어서기 전부터 시끌벅적한 소리가 들렸다. 오기 전 데이터 기부 문제로 빈과 살짝 다툰 탓에 잡지 못하는 손이 어색했다. 빈은 계속 내게 함께 경험 데이터를 기부하자고 했고, 나는 거절했다. 내 마음을 다른 사람들이 느낀다는 것에 거부감이 들었다. 얼굴 흉터와 관련된 경험을 꺼내 보이기가 싫다. 내가 거울을 보면서 하는 생각을 남들에게 들키고 싶지 않다. 피해망상 가득한 패배자 같아. 그런 생각만 연거푸 들었고, 빈은 나를 안타까워했다.

"다른 사람들을 널 괴물이라고 생각하지 않아. 그건 창피하거나 숨겨야 할 경험이 아니야." 빈은 평소와 다르게 고집을 부렸다. 스물한 살의 여름에 내 옆을 지켰던 것도, 매일 거울 앞에서 벗어나지 못하는 날 보며 가장 속상해하는 것도 빈이라는 것을 안다. 그래서 그의 마음을 이해한다. 하지만 겁이 났다.

결국 답을 내리지 못하고 익숙한 얼굴들이 앉아있는 곳에 빈과 함께 걸어갔다. 본격적인 술자리가 시작된 느낌이었다.

"너넨 아직도 사귀냐? 졸업한 지가 벌써 사 년인데, 끅. "

벌써 술에 취해 딸꾹질을 시작한 대학 친구 중 한 명이 말했다. 그러면 안 되냐? 장난스럽게 대꾸하고 불편해 보이는 술집 의자에 앉았다. 친구들을 얼굴 보고 만나는 건 오랜만이다. 메타버스 기계를 활용하면 언제든지 사람들을 만날 수 있다. 굳이 얼굴을 맞대지 않아도 같이 있는 것처럼 얘기할 수 있다. 따로 외출준비를 할 필요도 없다. 이런 기술이 유행하면서 직접 친구들을 만나는 횟수가 많이 줄어들었다. 야 진짜 오랜만이다. 그런 이야기를 친구와 나누다가 빈을 바라봤다. 빈의 표정은 조금 불만스러워 보였다. 아까 다툰 것도 잊고 다정스레 물었다.

"빈아 이쪽에 앉을래?"

빈은 고개를 작게 끄덕이고 내 왼쪽에 앉았다.

"맞다, 빈이 왼쪽 귀 잘 안 들렸지."

친구가 이야기했고 우리는 대수롭지 않다는 듯 동시에 어깨를 으쓱였다. 이제 내 목소리 잘 들리지? 빈에게 작게 속삭였더니 응, 하고 귀엽게 대답했다. 왼쪽 귀가 들리지 않은 빈은 항상 내 왼편에 앉곤 했다. 그런 우리를 보며 친구들은 몸서리를 쳤다.

"너넨 8년을 만나고도 좋냐?! 난 헤어진 지 2주도 안 됐는데….."

술집 테이블에 고개를 박은 친구를 다른 동기들이 위로해주기 시작했다. 술집의 소음에 귀가 먹먹해졌다. 프로그램 아이템이 아닌 진짜 술을 마시는 건 몇 달 만이다. 시간이 지날수록 사람들은 건강에 예민해졌다. 대부분 몸에 좋지 않은 음식은 미각 사탕으로 해결한다. 거의 모든 사람이 사용하는 메타버스 세계 속에선 술집 분위기를 만끽할 수 있다. 그런 탓에 직접 술을 마시는 기분이 생소하고 설렜다. 그 탓에 나와 빈이 모두 과음을 해버렸다.

"다운아."

애교 섞인 목소리에 작게 웃었다. 서 빈 단단히 취했네. 술에 취해 힘이 빠진 사람을 어깨에 걸치기가 어려웠다. 똑바로 좀 걸어봐. 장난스레 타박했다. 대리 비행카를 부르기엔 지갑 사정이 여의치 않았다. 술도 깰 겸 걸어서 이십 분 정도의 거리를 걸어가기로 했다. 밤공기가 서늘했다. 빈이 내 어깨에 업히듯이 기대왔다. 그러고선 내게 작게 물었다.

"아까 많이 속상했어?"

뭐가. 퉁명스럽게 대답했더니 내 품에 더 파고들었다. 빈을 안아주며 물었다.

"나 겁 많은 거 알면서 그랬어?"

"아니, 너 계속 거울 앞에 있는 게 속상해서 그렇지…. 다른 사람이랑 경험을, 나누다, 보면 딸꾹, 나한텐 괴로운 것도 그 사람한텐 다르게 보일 수도 있는데…."

"이 커다란 흉터가 다르게 보이는 게 말이 돼? 네가 봐도 징그럽고 심각하잖아."

빈의 말을 듣다가 술기운에 감정이 더 북받쳤다. 얼굴에 징그러운 흉터 없는 넌 내 마음 몰라. 넌 피부도 깨끗하고 눈도 예쁜데. 나만 이렇게 못난 거잖아. 쏘아붙이자 빈이 어이없다는 듯 나를 바라봤다. 그리고 심각하게 대꾸했다.

"내가 보기엔 네가 세상에서 제일 예쁜데."

어이없는 고백에 작은 웃음이 터졌다. 뭐야 서빈. 콩깍지 단단히 쓴 거 아니야? 빈이의 말로 날 섰던 분위기가 누그러들었다. 빈이도 술이 조금 깬 것 같았다.

"나 한쪽 귀 안 들리는 거, 그것 때문에 평생을 예민하고 불편한 성격이라는 말을 듣고 자랐어. 왼쪽은 들을 수가 없어서 답답하고, 오른쪽 귀는 다른 사람보다 훨씬 민감해. 청력의 균형이 안 맞아서 항상 예민하게 날이 서 있어. 근데 너랑 사귀기 전에 네가 해줬던 말을 아직도 곱씹어."

"내가 해줬던 말?"

"동아리에서 땅에서 들리는 소리를 에너지로 변환하는 프로그램을 만들 때였어. 내가 개발 완성 단계에서 찾아낸 소리의 문제점을 언급했고, 그걸 알게 된 교수님은 아예 프로젝트를 엎어야 한다고 말씀하셨어. 내 민감한 오른쪽 귀로만 들렸으니까. 다른 애들은 내가 별것도 아닌 걸로 꼬투리 잡아서 동아리 성과를 못 내게 한다고 생각했지. 나도 처음부터 다시 해야 한다는 생각에 부원들에게 미안하기도 하고 좀 억울하기도 했어. 소리의 오류를 찾아낸 건 맞았으니까. 그때 네가 나한테 그랬잖아. 네 귀는 정말 대단하다고."

"내가 그랬나?"

"응. 사실 분위기 파악 못 하고 순수하게 던지는 감탄 같았는데, 그래서 더 감동인 거 있지. 그 뒤로 내 귀를 많이 미워하지 않게 되었다? 왼쪽으로는 들을 수 없지만, 오른쪽으로는 아주 작은 소리도 들을 수 있어. 그런 장점을 바라보게 된 거지."

8년을 넘게 만나면서 이런 이야기는 처음 듣는다. 내겐 흐릿한 스무 살 때의 일을 정확히 기억하고 있는 빈이 신기했다. 빈이는 평소 절대 고집부리거나 내게 무언갈 강요하지 않는다. 하지만 이번에 왜 경험 데이터를 기부하자고 강하게 권했는지 이해할 수 있었다. 나는 눈을 천천히 깜빡였다. 눈앞에 있는 사랑스러운 내 연인을 바라보며 이야기했다. 빈아. 응? 하자, 경험 데이터 기부라는 거.

*

다음날 빈과 함께 손을 잡고 거대한 건물 앞에 섰다. 5,000층. 현재 우리나라에서 가장 높은 건물이다. 어디까지 뻗어있는 거야. 고개를 치켜들고 정부의 건물을 바라봤다. 1,500층부터 1,800층까지 연구실이래. 올라가자. 빈이 허공 모니터의 지도를 확인하며 이야기했다. 엘리베이터는 엄청난 속도로 1,500층에 도착했다. 약간 어지러울 정도였다. 건물 안은 안내용 로봇으로 가득했다. 방문 목적을 알려달라는 로봇에게 뇌 데이터 기부를 하겠다고 말했다. 우리는 로봇을 따라 긴 복도를 걸었다. 도착한 곳에는 커다란 기계들이 끝이 보이지 않을 정도로 펼쳐져 있었다. 우리는 병원 침대처럼 생긴 곳에 누웠다. 연구원 로봇들은 우리의 머리에 처음 보는 장치들을 붙이기 시작했다. 그리고 로봇의 질문에 대답하기 시작했다. 데이터 기부의 목적, 종류, 경험의 시기 등이었다.

"신호를 주면 해당 경험을 최대한 구체적으로 떠올려보세요. 그 경험을 머릿속 영상으로 만들어본다고 생각하면 됩니다. 끊어지거나 확실하지 않은 것들도 괜찮습니다."

로봇의 말을 듣고 경험을 떠올리기 시작했다. 구체적으로 그 시기를 짚어보는 것은 처음이었다. 식은땀이 흐를 정도로 집중했다. 동시에 괴롭다는 생각이 들었다. 날카로운 유리들이 내게 쏟아지는 상상을 했다. 주먹을 세게 쥐었다. 손바닥에 손톱자국이 생기도록 힘을 줬다.

"수고하셨습니다. 기부 혜택으로 드리는 체험권은 모바일로 전송됩니다."

뇌 스캔 작업은 생각보다 복잡했다. 사람의 기억은 정확하지 않다. 그래서 세 번에 걸쳐 데이터 추출이 이루어진다. 꽤 많은 시간이 걸렸다. 빈과 나는 둘 다 녹초가 된 상태로 연구실 건물에서 나왔다. 빈도 지쳐 보였다. 내 경험이 누군가에게 도움이 될까. 그런 생각을 하면서 빈과 손을 잡고 집으로 돌아갔다.

*

톡, 토옥. 작은 소리에 눈을 떴다. 눈앞에 빈의 잠든 얼굴이 보였다. 볼을 만졌더니 빈은 살짝 미간을 찌푸렸다. 빈을 깨우고 싶지 않아 이불을 다시 덮어줬다. 빗방울이 베란다 유리창을 두드렸다. 얇은 비가 내리고 있었다. 빈과 나는 평일 내내 야근에 시달렸다. 우리는 금요일 밤 열 한시가 되어서야 퇴근했다. 그리고 오랜만에 야식을 차려 먹고 늦잠을 잤다. 집마다 하나씩 있는 로봇 비서에겐 아침 알람을 꺼달라고 부탁했다. 내 연인은 한밤중인 것처럼 잠들어 있었다. 평화로운 풍경을 바라보다가 거실에 있는 전신거울 앞으로 걸어갔다. 또 습관처럼 거울에 얼굴을 가까이 대고 자세히 뜯어보기 시작했다. 자다 일어난 얼굴은 꾸민 것보다 마음에 들지 않기 마련이다. 하지만 오늘따라 단점이 더 극대화되어 보였다. 손가락으로 화상 흉터를 쓸어보다가, 이내 다른 곳들의 단점도 줄줄 떠올렸다.

'눈만 좀 고친다고 하면 빈이가 화내겠지?'

화가 난 빈의 얼굴을 떠올리다 이내 고개를 저었다. 빈이 깨기 전에 늦은 점심을 준비해야겠다. 그렇게 생각하면서 거울 쪽에서 몸을 돌리다가 화들짝 놀랐다. 못마땅한 표정의 빈이 팔짱을 끼고 날 바라보고 있었다. 큰일 났다.

"다운아. 나 일어날 때까지 거울 보고 있었던 거야?"

"나도 방금 일어났는데…."

목소리가 기어들어 갔다. 의미 없이 거울 보는 버릇을 쉽게 고칠 수가 없다. 내 외모를 깎아내리는 습관을 바꾸기가 어렵다. 빈이 내 마음을 몰라주는 것 같아 속상해졌다.

"입 내밀면 내가 봐줄 줄 알아? 내 눈엔 너무 예쁘다니까."

빈이 그렇게 말하면서 내 머리를 헝클어뜨렸다. 빈에게서 수백 번도 더 들은 말을 믿지 못한다. 빈에게 어리광부리듯이 안겼다. 빈이 내 목덜미를 가만히 만져줬다.

"전화가 왔습니다. 번호 앞자리를 보아 정부 연구실입니다. 받으시겠습니까?"

로봇 비서가 우리에게 다가오며 말했다.

"응. 화면 말고 목소리만 들리게 해줘."

빈은 날 안은 채로 대답했다. 로봇을 통해 건너편 사람의 목소리가 들렸다. 우리의 이름을 묻더니, 갑자기 축하한다는 말을 건넸다.

"경험 데이터 기부자 중 추첨을 통해 새로운 기술이 도입된 유어 라이프 체험권을 드리고 있습니다. 두 분이 선정되셨어요!"

"새로운 기술이요?"

"네. 본래 유어 라이프 체험은 VR 체험을 하는 것처럼 이루어집니다. 머리에 기계를 쓰고 들어가면 꿈을 꾸는 것처럼 타인의 삶을 경험하게 되죠. 새로운 기술은 그 데이터를 시각과 연결했습니다. 눈을 뜨고 그 사람이 되어볼 수 있는 겁니다. 믿기지 않으시죠?!"

흥분된 목소리가 들렸다. 잘 이해가 되지 않았다. 내가 상대편에게 물었다.

"원래 기술은 체험자의 뇌는 마취되고 완전히 타인이 되는 경험을 할 수 있다고 들었습니다. 시각을 연결한다는 건 다른 사람의 뇌로 눈을 뜰 수 있다는 건가요?"

"네, 바로 그겁니다! 그 사람이 실제로 바라보는 세상을 체험할 수 있습니다. 더는 가상 현실이 아닙니다. 실제로 눈을 뜨고 경험할 수 있습니다."

믿을 수 없었다. 내 몸에 다른 사람의 뇌를 잠시 넣을 수 있다는 걸까? 빈의 표정도 당황스러워 보였다. 연결된 상담원은 체험에 동의할 경우, 오늘 센터를 찾아주어야 한다고 말했다. 단 두 명에게만 한정적으로 제공하는 것이다. 빈이 물었다.

"몸에 무리가 가진 않나요? 시신경과 연결하는 거요."

"네. 일반인들에게 체험권을 제공하기 전에 수많은 실험을 거쳤습니다. 원래 유어 라이프 기술도 뇌를 마취한다는 것 때문에 논란이 많았죠. 하지만 지금은 부작용 없이 안정화되어 있습니다. 생각해보시고 한 시간 안에 연락 남겨주세요."

빈과 나는 고민했다. 오늘 안에 결정하지 않으면 다른 사람에게 특별 체험권이 넘어간다. 타인의 뇌로 경험하는 세상은 어떨까. 앞선 유어 라이프 기술과는 성격이 달라졌다. 그건 그 사람의 집약된 경험을 체험해보는 것이었다면, 이 기술은 내 눈앞에 놓인 것들을 다르게 바라볼 수 있다. 다시 생각해도 놀라운 기술이다.

"다운아. 네가 내키지 않는다면 안 해도 괜찮아. 데이터 기부도 내가 고집부려서 한 거잖아."

빈이 말했다. 빈은 내가 겁이 많다는 사실을 알고 있다. 내 다정한 연인의 얼굴을 바라보며 말했다.

"나 해보고 싶어."

"응?"

"같이 해보자. 당첨되기 어려운 거라잖아."

괜찮겠어? 빈이 걱정스레 물었다. 나는 씩씩하게 고개를 끄덕였다. 너랑 함께하는 것들은 다 괜찮아. 이색 데이트라고 생각하지, 뭐. 장난스레 빈에게 말하며 외출 준비를 시작했다. 빈은 못 말린다는 듯 웃어 보였다.

*

높이 솟아있는 건물을 바라봤다. 전에는 전부 로봇이 안내해줬던 것과는 달리 이번에는 사람이 마중을 나왔다. 특별 체험권에 당첨된 우리에게 제공되는 혜택이라고 한다. 여전히 정부의 엘리베이터는 빨랐다. 빈과 나는 안내를 받아 1,700층에 도착했다. 건물 옆 창문을 통해 밑을 바라봤다. 다른 건물들은 까마득해서 보이지도 않았다.

"두 분은 다른 공간으로 들어가셔야 합니다. 들어가시면 각 방에 연구원들이 한 명씩 배치되어 있습니다. 안내를 잘 따라주세요. 그 전에 답해주셔야 하는 것이 있습니다. 뇌를 체험해보고 싶은 사람이 있으신가요? 나이, 성별, 직업, 사회적 특징 등을 말해주시면 최대한 비슷한 사람으로 찾아드립니다."

빈과 나는 둘 다 생각해보지 않았다고 대답했다. 아주 평범한 사람이라도 나와는 다른 타인이다. 우리는 그 사실 하나면 충분하다고 생각했다. 그건 이곳에 도착하기 전에 이미 나눴던 대화였다. 직원이 물었다.

"두 분은 연인 사이이신가요?"

사적인 질문에 놀랐지만, 이내 그렇다고 대답했다. 직원은 고개를 끄덕이며 모니터에 뭔가 적었다. 이것도 체험에 필요한 정보일까? 짧게 생각만 했다.

빈과 나는 잡고 있던 손을 놓고 다른 방으로 들어갔다. 들어간 방은 꽤 깔끔하지 못했다. 널브러진 작은 소품들과 거울, 책과 모니터들이 많았다. 모니터들은 공중에 떠 있었다. 가운을 입은 연구원이 나를 맞아줬다. 그가 말했다.

"기존 유어 라이프가 5분의 체험이었다면, 이건 1분입니다. 기존 가상 현실 체험은 자동으로 기계가 꺼지면서 본래 뇌로 돌아옵니다. 하지만 새로 개발된 기술은 눈을 뜨고 움직일 수 있습니다. 그래서 시간을 잘 지켜주셔야 합니다. 1분이 되기 전에 자리에 앉아 눈을 감아 주셔야 합니다. 그래야 안전하게 시신경과 뇌의 연결을 해제할 수 있습니다. 저는 체험하실 동안 밖에 나가 프로그램을 조정합니다."

1분. 아주 짧은 시간이다. 탁자 위에 놓인 타이머를 보았다. 다시 눈을 뜨면 저 시간이 흘러간다고 했다.

"타인의 뇌로 세상을 볼 수 있습니다. 그러므로 눈을 뜨고 세상을 경험해야 합니다. 하지만 아주 짧은 시간이라 외출하는 것은 불가능합니다. 그래서 다양한 홀로그램 영상 자료, 책, 본인의 디지털시계와 허공 모니터 등을 사용할 수 있습니다."

"원래 뇌가 마취되면 이 말씀을 기억하지 못하는 거 아닌가요?"

"기본적으로 지금 말하는 정보는 새로운 뇌에 입력되어 있으니, 걱정하지 않으셔도 됩니다. 1분 제한 시간도 마찬가지입니다. 아주 짧은 시간이니 최대한 다양한 시각적 경험을 하도록 노력해보세요."

홀로그램 영상을 보는 것이 가능하면, 세상에 존재하는 대부분을 볼 수 있는 것과 마찬가지다. 정확히 어떤 것을 볼 것인지 정하지 못한 채로, 기계를 머리에 붙였다. 눈을 감고 자리에 앉았더니 연구원이 나가는 소리가 들렸다. 정적이 흘렀다. 수면 마취를 하는 것처럼 빠르게 정신이 넘어갔다. 삐-하고 울리는 기계 소리에 눈을 떴다.

제한 시간 1분을 지켜야 한다. 이 문장이 가장 먼저 떠올랐다. 흰색 탁자에 놓인 타이머 시계가 흘러가고 있었다. 시선을 아래로 내리니 익숙한 몸이 보였다. 모니터를 조작하기 위해 일어나려다가 문득 의

문이 들었다.

익숙한 몸?

시간이 멈춘 것 같았다. 주위가 고요했다. 이건 내 몸이 아니다. 그런데도 익숙하다고? 책을 펼치거나 홀로그램 영상을 봐야겠다는 생각은 들지 않았다. 침대에서 멀지 않은 탁자 앞에 섰다. 손을 뻗어 딱 얼굴 크기 정도의 거울을 들었다. 슬로우를 건 것처럼 거울의 바깥 부분부터 서서히 얼굴이 드러났다. 익숙한 곡선들은 내 얼굴이 아니다. 하지만 거울보다 바라보는 시간이 많은 얼굴이다.

다운이다.

다운의 몸이 되었다. 손을 올려 얼굴을 천천히 만져보았다. 익숙하고 사랑스러운 얼굴이 가까이에서 보였다. 눈, 코, 입…. 차례대로 만져보다 흉터를 습관처럼 만졌다. 이렇게 만지면 다운이가 싫어했는데. 연인의 투정을 생각하면서 작게 웃었다. 거울 속 다운이 웃었다. 내가 웃었더니 다운이가 따라 웃는 것처럼 느껴졌다. 마음이 울렁일 만큼 사랑스러운 얼굴이었다. 다른 것들을 봐야겠다는 생각이 들지 않았다. 시간이 흘러간다는 것도 잊고 거울을 바라보고 있었다. 그때 기계음이 들렸다.

"10초 남았습니다."

연구원이 최대한 다양한 시각적 경험을 하라고 했는데, 그러지 못했다. 이 경험이 내가 아니라 다운이 뇌에 쌓인다는 건가? 뇌가 아니라 몸이 바뀐 것 같은 느낌이네. 그렇게 생각하면서 자리에 앉았다. 여전히 들고 있는 거울을 보며 다운의 얼굴로 느리게 입을 열었다. 살짝 잠긴 다운의 목소리가 들렸다. 기분 좋은 울림이었다. 그리고 천천히 눈을 감았다.

"다운님, 눈 떠보세요."

차분한 목소리가 들렸다. 천천히 눈을 떴다. 머리가 어지러웠다. 꿈을 꾼 것 같았다. 하지만 꿈과는 달리 기억이 생생하게 몰려왔다. 타인의 시선으로 눈을 뜬 감각을 되새겼다. 일반인 중에 이 기술을 체험한 사람은 최초라는 들뜬 연구원의 목소리가 아득하게 들렸다. 내가 본 것들이 뒤죽박죽으로 섞였다. 낯선 경험을 머릿속에서 정리해보려고 했다. 이 기술은 '나'라는 자각이 사라진다. 다른 사람의 뇌로 눈을 떴기 때문에, 뇌가 아닌 몸이 바뀌었다는 생각이 드는 것이다. 본래의 뇌가 마취되고 빈의 뇌로 눈을 떴다. 그래서 내 얼굴을 바라보면서 몸이 바뀌었다는 생각이 들었다. 일 분 동안 거울만 바라보느라 다른 경험은 하지 못했다. 본 것들을 천천히 짚어보았다.

빈의 눈으로 나를 바라보는 경험. 그의 시선으로 내 얼굴을 아주 가까이 들여다본 경험. 그건 내가 나를 바라보는 것과는 달랐다. 분명 똑같은 얼굴인데, 전혀 달랐다.

큰 흉터, 비뚤어진 듯한 코, 모공이 큰 것 같은 피부와 짝짝이의 눈…. 그런 것들은 하나도 눈에 들어오지 않았다. 뚫어지도록 얼굴을 노려보던 괴물의 얼굴은 온데간데없었다. 작게 웃을 때 벌어지는 입매가 사랑스러웠다. 살짝 접히는 눈에 입 맞추고 싶다고 생각했다. 죽을 만큼 미웠던 흉터가 징그럽다는 생각이 들지 않았다. 그건 웃는 얼굴을 보고도 마음이 아플 정도로 사랑하는 사람의 얼굴이었다. 가볍게 얼굴을 만지는 게 조심스러울 정도로 아까운 사람이었다.

평소 거울을 보며 하던 생각들을 떠올렸다. 얼굴 가죽을 벗겨내어 새로이 칠하는 상상을, 반짝이는 거울 조각이 붙어 징그러운 흉터를 감싸는 상상을, 매일같이 나를 노려보던 시간을 되짚었다. 아까 빈이 되었을 때, 느리게 입을 열었던 순간이 생각났다. 천천히 발음되던 말이 귀에 맴돌았다.

사랑해, 다운아.

그건 거울을 보며 처음 해본 말이었다. 나는 빈이 되어서야, 내게 사랑한다고 말할 수 있었다.

문을 열었더니 연구실 복도 의자에 앉아있는 빈이 보였다. 얼떨떨한 얼굴이었다. 아까 밖에서 안내를 도와준 직원도 함께 있었다. 그가 입을 열었다.

"서로가 되어보신 기분은 어떠셨나요? 각자 기부해 주신 경험 데이터가 있어 활용해보았습니다."

그럼 빈이는 내가 되었겠구나. 우리는 말없이 서로를 쳐다보고 손을 잡았다. 집으로 돌아가자. 빈이 말했고 나는 고개를 끄덕였다.

*

　우리는 지구에서 유일하게 서로의 시선을 경험해본 연인이 되었다. 체험 이후 몇 주가 지나고 정부에게 연락이 왔다. 담당자는 침울한 목소리로 해당 기술은 폐기하기로 했다고 전했다. 아직은 일 분이라는 짧은 시간밖에 활용할 수 없지만, 더 늘어나 타인의 뇌로 일상생활을 할 수 있게 된다면 사회적 혼란을 초래할 수 있다는 경고가 있었다고 한다. 빈과 나는 처음이자 마지막 체험자가 되었다. 우리는 그날 집으로 돌아와 한참이나 서로를 안고 있었다. 나는 아주 조금 울었다.

　거울 앞에 섰다. 여전히 똑같은 얼굴이 보인다. 어색하게 입꼬리를 올려보았다. 빈의 시선처럼 사랑스럽다거나 예쁘다는 생각은 들지 않았다. 하지만 이제 거울 조각들이 징그러운 흉터를 감싸 없애달라고 빌지 않는다. 반짝이는 것들에 덮여 새로 태어나게 해달라고 울지 않는다.
　잠시 눈을 감았을 때, 빈이 뒤로 천천히 다가와 내 등을 감싸 안았다. 빈의 손을 잡아 올려 내 흉터를 천천히 만졌다. 깨진 거울 조각들이 붙어가기 시작했다. 괴물이라고 절망했던 어둠의 유리창을 잊어가기 시작했다. 거울 속 흉터를 증오했던 마음은, 빈이 되어 나를 바라본 순간에 삼켜졌다.

나는 네가 되어서야 비로소 나를 사랑하게 되었다.

'나'를 더듬다

강라연

강라연 부산에서 태어나 31년을 살았다. 32살부터 전주와 서울을 오가며 밥벌이를 하고, 미래를 그리고 있다. 하고 싶은 게 많아 이것저것 일을 벌이고 해내는 것에 만족하며 살아간다. 그토록 멀리 하던 공부와 글쓰기가 이제는 좋아졌다. ,

인스타그램: @_ra.yeon
블로그: blog.naver.com/ra_yeon_
이메일: raphaella814@naver.com

첫 번째 이야기, 나이 서른에 곰신이 되었다.

남자친구와 나는 나이 차이가 제법 난다. 우리가 어느 정도의 시간적 격차가 있었는지를 듣는 사람들의 표정은 대부분 비슷한 빛이 스친다. 당혹스러움과 의아함, 그리고 흥미로움.

우리는 다른 시간의 켜를 쌓아왔지만, 이제는 같은 시간의 켜를 쌓았다. 우스갯소리로 서로를 '거푸집'이라 표현할 수 있을 정도로. 아마도 그가 군대에 가기 전까지인 1년 간 바지런하게도 만들어 온 추억 덕분이라고 생각한다. 정말로 가끔은 지겹지 않냐고 주변에서 물어볼 정도로 하루도 빠짐없이 만났다. 누군가를 365일 만난 적이, 가족 말고 있었나 싶은 정도다.

그런 사람이 이제 2년간 내 곁에서 잠시 떠나있게 됐다. 흠…… 상상이 되지 않았다. 그가 없을 날들이, 그리고 돌아올 날이. 요즘은 군대에서도 휴대 전화를 쓸 수 있다고 하지만 그런 걸로는 충족되지 않을 것만 같았다. 한편으론 '그래, 각자 자신만의 이야기를 만들어 가는 시간을 보내면 되지. 나도 나만의 시간이 필요해.'라고 자만하기도 했다.

그리고 그는 논산으로 떠났다.

"나한테 편지 같은 건 기대하지 마."

이렇게 말했던 나는 우습게도 훈련소 편지 1등이 됐다. 간부며 같은 훈련병이며 수료식 때 꼭 나를 보고 싶다고 말할 정도로. 남자친구는 내 덕분에 어깨가 로켓이 되어 날아갈 뻔했다고 한다. 매일 인터넷 편지를 쓰고, 일주일에 한 번은 일주일간 모아둔 손 편지를 모아서 보냈다. 휴대전화가 없는데도 나름 바쁘게 잘 견뎌냈다.

'음, 나 의외로 잘하는데? 곰신 체질인 듯?' 하면서 말이다.

거기다가 이즈음의 나는 소위 말하는 '아홉수'에 시달리고 있었다. 7년간 다니던 첫 직장을 퇴사하느냐의 갈림길에 서 있었고, 내가 그간 쌓아온 것이 무의미하게 느껴진 순간들의 연속이었다. '앞으로는 어떤 일을 해야 하나', '내가 다른 곳에 취직할 수 있을까?'와 같은 정말 먹고 사는 일에 급급했다. 심지어 집 문제까지 겹치는 정말로 딱 죽고 싶은 심정과 한편으론 변화에 대한 약간의 변태 같은 설렘이 느껴지기도 하는 묘한 교차점에 있던 시기로 기억한다. 그러다 보니 곰신의 외로움은 사치였다.

물론, 모든 문제들은 결국 해결된다. 곰신 1년 차가 되던 해의 내 상황은 제법 안정적이게 되었다. 이사는 무려 첫 전세를 얻어 아파트로 가게 되었고, 퇴사 후에는 두 가지 일을 병행하며 그 전의 3배에 가까운 월수입을 벌게 되었다. 긴장의 연속이던 시간들이 지나고 숨을 쉴 수 있는 여유가 찾아왔다. 분명히 괜찮아야 하는데, 맥이 탁 풀렸다. 팽팽하게 당기던 고무줄을 손에서 놓았을 때 탄력을 잃은 것처럼 내 상태가 그랬다. 뇌 속이 흐물흐물한 느낌이었다.

그 순간 1년간 미뤄두느라 미처 몰랐던 '외로움'이라는 불청객이 나를 찾아왔다. 배가 고프지 않은데, 습관처럼 음식을 배달시켜서 먹는다. 먹어도 딱히 맛이 느껴지거나 행복하지 않다. 오히려 후회가 나를 잠식한다. 그 의미 없는 짓을 한다. 집에는 TV도 없고, 매우 고요하다. 302호라는 세상이 내 세상의 전부인 것 같고, 세상엔 나만 있는 것 같다. 친구들과 문자를 한다. 손가락은 'ㅋㅋㅋ'를 치지만 입꼬리는 조금도 올라가지 않는다. 어딘가 고장난 사람 같은 기분이 들었다.

나는 진짜로, 조금의 거짓말도 보태지 않고 혼자서도 잘하는 사람이라고 그동안 스스로를 철석같이 믿고 있었다. 약간의 자부심까지 가졌을 정도였다. 그래서 '곧신 뭐, 하면 되지.'란 마음도 있었다. 바보였다. 예전에 '나는 남자다'란 예능 프로그램의 모태 솔로 특집에서 본 말이 생각났다.

"나는 늘 혼자였기 때문에, 외로움이 뭔지 모릅니다."

그는 누군가 곁에 있어 본 적이 없었기 때문에 없는 감정이 크게 힘들지 않다고 했던 것 같다. 나는 남자친구와 보낸 세월 속에서 어느샌가 '사람의 빈자리'를 아는 사람이 되었나 보다. 덜컥 겁이 났다. 그때의 나는 그랬다. 나에게 소중한 사람이 생겨서 상처받는 게 무서웠다. 아니라고 애써 부정했다. 진정한 '나'를 잃는 것 같았다. 그래서 '나는 혼자서도 잘해. 지금 너무 집에만 있어서 그런 거야. 번아웃이 아닐까?'하는 거짓의 속삭임을 하며, 어리석은 패기로 무작정 짧은 제주도 여행을 떠났다.

두 번째 이야기, 바삭한 햇빛을 머금은 바다를 좋아하는 사람.

비행기는 나에게 9와 3/4 승강장 같은 것이다. 해리포터에게 호그와트 학교라는 새로운 세계로 연결해준 것처럼 나에겐 현실에서 잠시금 벗어나 숨 쉴 수 있는 곳으로 데려가 준다. 그래서 나는 비행기를 타고 여행을 가는 그 설렘을 무척 즐긴다. 그런데 그 순간을 즐기는 것과 진짜 좋아한다는 것은 조금 다르다는 생각을 한다. 그 방증이 '나'라는 인간이 혼자 여행을 가는 게 30년 살면서 처음이라는 것이다. 남과 가지 않으면 여행도 가지 않았던 사람이 진짜로 여행을 좋아했다고 말해도 되나? 싶은 한심스러운 생각을 하며 비행기에 올랐다.

제주도는 수학여행 때 온 이후로 처음이다. 사실 벌써 10년도 전이라 기억도 가물가물하다. 그래서 처음 방문하는 곳을 오는 것처럼 설레며 공항을 나왔다. 그런데 왜 내리자마자 나에게 이런 시련을 주는 것일까? 이미 한바탕 비가 지나간 듯이 축축해진 도로와 연회색의 하늘이 우중충하게 나를 맞이했다. 불안한 마음에 우산을 사서 숙소로 가는 버스에 올랐다. 그나마 다행인 걸까, 차에 타니 빗방울이 한두 방울씩 창문에 달라붙는다. 울적한 마음은 외면할 수 없지만 위안이 되는 건 내가 비 오는 날을 좋아한다는 사실이다. 특히 이런 여름날의 비는 더더욱 환영이다. 여행지만 아니었다면 과거로 나를 데려다주는 듯한 향기를 머금은 이 날씨를 만끽했겠지.

진짜 고난은 버스에서 내린 후부터였다. 나는 치마를 교차해서 묶어 입는 랩 원피스를 좋아하는 편인데, 큰 단점이 있다. 바람이 불면

치마가 힘없이 나풀거려 '내 팬티 여기 있소.'하고 다 보여줄 것만 같은 옷이라는 점이다. 왜 하필 오늘이냐고. 한 손엔 캐리어, 한 손엔 우산을 들고 잡히지 않는 치마를 부여잡아 보려 손을 모아보며 낑낑거리는 상태로 걸어갔다. 다행인 건 도로에 차와 사람이 거의 없다는 점. 이건 보는 사람이 더 손해일 것 같은 몰골이긴 하지만?

　우여곡절 끝에 도착한 숙소는 서귀포 끝자락에 위치한 남원읍에 위치한 곳이다. 제주도의 집답게 회색 어린 돌담이 싸고 있는 입구를 따라 골목길을 조금 들어가면 집이 보인다. 작은 마당과 고동색 철제가 조금 가미된 유리창 달린 여닫이문은 초등학교 시절 살던 집을 떠올리게 한다. 이맘때의 나는 목재가구가 주는 특유의 따뜻함에 심취해 있어서 숙소도 그런 곳으로 고심해서 골랐다. 뚜벅이 주제에 얼마나 멀리 있는지, 위치는 하나도 생각지 않고 말이다. 그래도 나의 심사숙고가 틀리지 않았다는 듯이 문을 열고 들어간 공간은 만족스럽게 나를 맞이한다.

　따뜻한 주황빛의 조명이 달려 있고, 온 집의 벽은 90년대의 주택처럼 붉은 나무로 되어 있다. 거실에는 벽과 통일시킨 듯한 색감의 나무 테이블이 넓게 있고, 소파는 약간 푹신하면서도 적당히 단단한 느낌의 쿠션으로 되어있다. 내가 묵을 방은 입구 쪽에 나무 의자와 옷걸이가 있다. 방의 안쪽에는 나무로 된 창이 하나 있는데, 창을 열면 바로 나무가 보여 말 그대로 내 취향을 저격당해 버렸다. 사실 이 창에서 보는 풍경이 마치 숲속에 있는 집처럼 느끼게 해주는 듯해서 무작정 이 숙소로 정한 것이었다. 내 안목이 틀리지 않았구나 싶어 얼마나 다행이었는지 모른다.

나는 숲과 나무를 좋아하는 사람이다. 그것들이 내뿜는 초록색이 나를 편하게 만들어준다. 피톤치드가 가득한 공간이 담고 있는 특유의 코를 찌르는 흙냄새와 이파리 냄새가 마음을 편하게 해주는 걸 좋아한다. 그동안 제주도를 다시 오지 않은 것도 숲보다는 바다가 유명한 곳이라는 생각 때문이었다. 바다가 가득한 부산에서 자란 나에겐 크게 감흥이 없었다고 말하는 게 정확하겠지만. 그래서 첫날의 비만으로도 적당히 만족할 수 있었다. 숙소 안에서 보는 빗방울 머금은 나무는 그 나름의 어두움과 생동감이 공존해서 마음을 차분하게 해주는 기분이 들었기 때문이다. 그렇게 좋아한다고 믿던 것들을 보면서 첫날은 빗물과 함께 흘려보냈다.

다이내믹 부산이라고 하는 곳에서 자란 내가, 둘째 날엔 사실 '다이내믹'은 '제주도의 날씨에 더 걸맞은 것 아닐까?'란 생각을 하게 됐다. 어제 내가 본 풍경이 같은 공간이 맞는 걸까 싶을 정도로 새로운 세상이 펼쳐졌다. 잠을 깨운 건 눈보다 귀가 먼저였다. 알람으로는 감히 흉내도 낼 수 없는 자연의 새소리가 귓가를 울렸다. 창문에는 햇빛이 파츠가 되어 붙어있는 것처럼 반짝이고 있었다. 지난밤 검은 초록에 가까운 색을 자랑하던 나무들은 이제 온전히 생생한 초록색을 띠며 자신의 진짜 모습을 뽐낸다. 당장 뛰쳐나가서 이 날씨를 만끽해야겠다는 생각을 하며 벌떡 일어났다.

거실에는 주인분이 마련해주신 아침 식사가 가지런히 놓여 있었다. 제주도다우면서도 이국적인 느낌이 나는 메뉴였다. 감귤주스와 달걀

샌드위치의 조화. 후식으로는 바나나와 감귤. 재밌는데 잘 어울리는 조합이라는 생각을 하며 정갈하게 차려놓은 아침을 즐겼다. 입으로는 부드럽게 퍼지는 계란의 식감을 즐기며 눈과 손으로는 빠르게 휴대전화를 뒤적였다. 목적지를 정해야 했다. 뚜벅이다 보니, 갈 곳을 정하기가 만만찮아 한 곳만 가도 성공이란 마음으로 '한반도'를 보러 가기로 마음먹었다.

'한반도'라니, 무슨 엉뚱한 소린가 싶겠지만 남원읍에는 유명한 사진 촬영지가 있다. 남원큰엉 해안경승지가 그곳이다. 버스를 타고 내려 큰 리조트가 보이는 길을 따라 걸으면 입구가 나온다. 가는 길은 길가에 꽃들이 피어 있어 제법 구경할 맛이 난다. 리조트는 바다를 바라보는 위치로 창이 나 있고, 빨간 지붕을 가진 미색의 건물이다. 테라스는 아치 형태로 벽을 뚫고 흰색 난간을 설치해 두어 제주도라기보다는 서양의 휴양지에 도착한 듯한 느낌을 준다. 정원에는 야자수들이 즐비해 있어 마치 그 느낌을 의도했다는 듯이 힘을 싣는다. 나무가 둘러싼 연못에 있는 해녀 모습을 한 돌상이 '아니야, 여긴 제주도야.'라고 말해주는 듯하다.

표지판을 따라 정원 왼쪽으로 발길을 옮긴다. 약간은 좁은 듯하면서도 두 사람은 들어갈 수 있는 산책로가 보인다. 나무 중간중간 빨간색의 천이 묶여 있는 건 이정표의 역할을 하는 것이라고 하는데, 어쩐지 밤에 보면 서낭당처럼 보여 조금 흠칫할 것 같은 기분이다. 물론 이것뿐만이 아니라 제대로 된 화살표 모양의 나무색 표지판도 잘 되어 있다. 잘 다듬어 둔 길의 양옆에는 나무들이 길을 따라 자리 잡고 있어

여름인데도 시원한 느낌을 준다. 길을 따라 들어가면 이제야 '한반도' 가 보인다. 왼쪽의 숲은 자신의 콧대가 어떠냐고 옆모습을 자랑하고 있다. 오른쪽의 숲은 왼쪽보다는 조금 높은 위치에 콧대를 자랑하며 아래로 조금 더 길고 편편한 모습을 하고 있다. 그렇게 약간은 비뚜름하게 모양 잡고 있는 숲의 사이로 바다가 보인다. 그 바다색과 나무색의 조화가 마치 한반도를 그대로 그려내고 있는 형태다.

그때 나는 한반도의 모습을 통해 보는 아름다움은 의외로 찰나라는 생각을 했다. 오히려 저 한반도 쪽으로 걸어가면 어떤 바다가 보일지가 나를 끌어당기고 있었다. 그래서 바삐 걸음을 옮겼다. 홀린 듯이 걸어가는 순간마다 바삭한 햇빛을 머금은 바다가 나에게 얼른 오라고 손짓하는 것 같았다. 멀리서 봤을 땐 그저 부산의 바다와 다르지 않은 색을 가졌던 것이, 가까이 갈수록 에메랄드빛을 머금은 색으로 변하고 있었다. 발걸음을 옮길수록 귀를 때리는 파도 소리와 바람 소리가 뒤섞이고 점점 설렘으로 가슴이 쿵쿵거렸다. 완전히 숲을 나가는 순간, 박지원이 말한 통곡할 만한 자리가 이곳에도 있구나 싶은 생각이 들었다.

좁은 숲 사이로는 담지 못했던 광활한 바다가 펼쳐졌다. 검회색의 현무암들이 만들어 낸 깎아지른 절벽에는 파도가 부딪쳐 흰색의 물보라를 만들어 낸다. 그 철썩이는 소리가 나에게 괜찮다고 말하는 기분이었다. 사실 나는 그동안 많이 힘들었구나. 말로 표현하기 힘든 온갖 감정들이 서로 엉키고 덩어리를 만들어 바다로 던져지는 기분이었다. 검은색의 실타래를 에메랄드색 비단이 집어삼켰다. 이제는 인정할 수

밖에 없다. 나는 외로운 사람이고 그게 못난 것이 아니라는 것을, 그리고 숲만큼 바다도 좋아할 줄 아는 사람이라는 것을.

세 번째 이야기, '나'를 더듬고, '나'를 다듬다.

사람들이 가끔 묻는다,

"넌 어떤 사람이야?"라고.

그럼 나는 대답한다.

"나는 혼자가 편한 사람이야."라고.

그런데 이제는 다르게 말할 것 같다.

"나는 나의 사람들과 함께 있는 걸 좋아해. 그렇지만 혼자 있지 못하는 사람은 아니야."라고.

처음 제주도에 왔을 때를 떠올린다. '혼자' 있어도 당당한 줄 알았고, 다른 사람의 시선에 개의치 않아 한다고 스스로를 멋대로 판단해 버렸다. 사실은 가족과, 친구와 연인과 함께 온 여행객들을 보며 위축되었다. 정말로 나를 바라보는 것인지도 모를 시선에 혼자 괜스레 불편해하지 않았다면 거짓말이다. 그 순간마다 옆의 빈자리를 아쉬워했다. 돌이켜보면 그때의 나는 마치 안 맞는 옷을 입고 밖을 나온 것 같았다. 불편하고 안절부절못하는 상태였다. 지금의 나는 조금은 내 몸에 맞게 수선한 옷을 입은 것 같다. '나'의 몸을 알아 가고, '나'의 마음을 살핀다. 그리고 '나'에게 알맞은 것을 찾아간다.

공허한 마음을 살펴볼 수 있는 건 혼자였기 때문이다. 함께 오는 여행만을 즐겼다면 아직도 나는 독불장군처럼 강한 척하는 가면을 쓰고 심취해 있었겠지. 바다를 좋아하는 모습을 발견하고, 길가에서 보는 꽃들의 이름을 궁금해하는 순간들은 온전히 나만의 시간이었기 때문에 누릴 수 있는 시간들이었다. 타인의 시선이 내 몸을 휘감는 것 같은 기분을 느끼던 내가 발걸음을 옮길 때마다 조금씩 허물을 벗듯이 자유로워진다. 보이는 것과 들리는 것에 매몰되지 않고, 눈에 넣고 싶은 것과 귀로 듣고 싶은 것에 집중하게 된다.

시작은 다소 고집스러웠던 출발이다. 마치 내가 믿고 싶은 것을 증명해 내야만 한다는 생각을 가지고 나섰다. '나는 이래야만 해.'에 갇혀, 누구보다 나를 가뒀다. '너는 이걸 좋아해야 하고, 너는 이러면 안 돼.' 이런 마음들만이 가득했다. 멋진 것과 바라는 것, 되고 싶은 것만 잔뜩 정해두었다. 강해지고 싶어서 '외로움'은 약한 것이라 치부하였다. 다가오는 것이 무서워서 먼저 한 걸음 물러섰다. 늘 그렇게 선과 경계 속에서 살며, 적당한 거리감에만 심취해 살았다. 어쩌면 상처받지 않기 위해, 살아남기 위해 아등바등하던 모습에 가까웠다.

제주도 바다의 비취색이 가진 '투명함'이 내 마음을 올곧게 비추어 줬다. '너는 지금 어떤 생각을 해?', '너는 어떤 걸 좋아하니?', '네가 힘든 이유는 뭐야?', '네가 진짜 버리고 싶은 게 있지 않을까?' 하고 말이다. 그럼 나는 생각한다. 남자친구에게 의존하는 나도 괜찮다, 누군가가 없을 때 느끼는 외로움도 사람 냄새나고 정감 있다. 함께면 좋지만, 혼자여도 괜찮다. 나답지 않은 것에 집착하는 게 힘들다. 아집에 가까운 이 강함에 대한 집념을 버리고 싶다. 눈으로 보고 싶은 것과 마음에 담고 싶은 것에 이제는 닿는다. 이렇게 조금씩 나를 더듬어서 나를 다듬으며 살아가는 것도 좋겠다. 그런 생각을 하며 나의 공간으로 돌아온다.

형제섬 그리고 아버지

steel LEE

steel LEE 저자 이철재(steel LEE)

충남 당진 전원에서 책쓰기를 공부하고 있다. 엔지니어로 30년을 지냈
다. 안전과 역사에 대한 관삼이 많으며 책은 미래를 펴는 삶의 지표라
고 여긴다. 저서로는 자기계발서인 '아빠도 쉽지 않았다'/장원문화인
쇄/264P 가 있다.

유투브: @ah_easy_TV(아쉽다 TV)
블로그: blog.naver.com/kumhaklcj(steel alive)
이메일: kumhaklcj@naver.com

　멀리 한라산과 송악산 사이 바다 위 두 섬이 마주 보고 있다. 두 섬 사이에 작은 곰 한 마리가 웅크리고 어미를 애절한 눈빛으로 올려다보고 있다. 제주 모슬포 앞 바다 형제섬이다. 태양이 구름을 밀고 솟아오르자, 빛을 머금은 파도가 해안으로 달려온다.

　작년, 올해 이태 동안에 네 번째 마주하는 모슬포 바닷가다. 형제섬을 바라보는 눈이 부시지만, 서글픈 눈물 덕분에 참을만하다. 형제섬이 가족 섬이 되어 가슴 저 뒤로 밀려간다. 가족 섬, 가족, 가정이라는 단어들을 잡아 붙들어 매어서 내 안에 머무르게 하고 싶다. 내 자라던 시절 없었던, 아득한 바램 속의 가족을 떠오르게 한다.

　내 추억에는 없었던, 갖고 싶었던 모습이었다. 저 가족 섬의 행복함이 내 어린 시절 속에는 없었다. 하늘이 준, 자연이 준 포근함은 내 기억 속에 없는 아우라였다. 모든 것이 아버지의 탓이라고 나는 생각했다. 왜 내 성장기에는 가족이 없었는지, 누구 때문이었는지 알지도 못했고 알고 싶지도 않았다. 어머니의 얼굴은 흐릿한 잔상으로도 찾을 곳이 없었다. 내가 태어날 때 어머니는 옆에 있었을 것이었다. '엄마'라고 불러본 기억이 없다. 어머니의 손길을 받지 못한 성장기였다. 그 후에는 그저 나를 낳아준 여자일 뿐이었다.

아버지는 삶의 끄트머리에서 그토록 아끼고 자랑스러워한 아들과 함께 있지 못했다. 세 가족이 사는 아파트 현관 옆 작은 방이 아버지가 지낸 마지막 공간이었다. 병원이 아닌 아파트 현관 바로 옆 방이 호스피스 병동이었고 병상이었다. 호스피스는 아버지를 돌보았던 내 아내였다. 며느리에게 손을 모아 복을 준다며 며느리 손을 잡고 아버지는 삶을 놓았다. 아버지는 흙으로 돌아가지 못하고 재가 되었고, 유골은 작은 상자로 들어갔다.

아버지는 세 번 결혼에 실패했다. 첫 번째 여자는 아이를 둘 낳고 가출했다. 두 번째 여자는 돈을 좇아갔다. 아버지는 홀어머니를 모시고 있는 형에게 아들과 딸을 맡겼다. 그리고 객지를 떠돌았다. 세 번째 여자는 아들을 챙기겠다는 핑계로 아버지에 의해 버려졌다. 그 후 30년을 아버지는 홀아비로 살았다.

아버지와 정상적인 가정을 이루고 함께 산 기억이 내게는 흐릿했다. 내가 말을 배울 즈음 아버지의 첫 번째 여자, 나를 낳아준 여자는 가출했다. 어린 아들이 엄마, 아빠의 얼굴도 구별하지 못할 나이에 여자는 가출했다. 그 여자에 대한 기억 조각은 없다. 머릿속 끄트머리에 걸쳐있는 그 여자에 대한 잔상은 친척들에 의해 만들어진 것이었다.

가정에 대한 기억은 없었다. 나에게는 3년 정도가 가정의 단란함의 전부였었다. 그 후 정상적인 가정은 없었다.

아버지와는 내가 고등학교에 입학하면서 다시 함께 살게 되었다. 엄밀히 말해 같이 산 것은 아니었다. 아버지는 고등학교를 도시로 유학 나온 아들의 뒷바라지를 위해 함께 할 수밖에 없었다. 아들의 유학 생활 뒷바라지까지 형에게 맡길 수는 없다고 판단한 것이었다.

큰 집에서 먹는 눈칫밥을 줄이고 싶어서 택한 유학이었다. 내신 성적은 시골 학교가 더 유리할 터이니 유학을 가지 말라는 큰아버지의 설득은 내 마음을 바꾸지 못했다. 3년을 더 큰 집에서 살아야 한다는 것은 또 다른 인내를 요구하고 있었다. 내게도 객지 생활이 시작되었다.

나에게 있어 아버지와의 생활은 포근함을 느낄 수 있는 가정이 아니었다. 아버지와 함께하는 생활은 학교에 다니려는 방편이었다. 이를 아는지 모르는지 아버지는 아들과 함께하는 삶에 만족스러워하는 듯했다.

아버지에게는 자랑스럽고 똑똑한 아들이었다. 학교 성적은 그런대로 우수했고, 별다른 사고도 치지 않으면서 첫 객지 생활인 고등학교를 마쳤다. 대학도 나름 우수한 곳에 진학했고 취업도 무난했다.

한잔 술을 핑계 삼아 아버지는 아무나 붙잡고 아들 자랑을 했다.

'가장 행복한 순간이 아들을 낳았을 때였다. 공부도 잘하고 모든 걸 혼자서 알아서 했다. 부모 없이 큰 집에서 자랐어도 삐뚜로 나가지 않았다. 아비가 해준 것 없는데 대학도 가고 취직도 했다. 최고의 효자다.'

라며 입에 침이 마를 정도였다.

아들을 자랑스러워하는 아버지를 위한다는 생각에 열심히 공부했다. 남들에게 아들 자랑하는 아버지의 언사가 낯간지러웠다. 아버지는 거기서 만족을 느끼고 있는 것으로 보였다. 우수한 성적, 대학 진학 그리고 그럴듯한 대기업 취직 등으로 보답했다. 비록 어머니 없는 아쉬운 삶이었지만 나름 반은 정상적인 가정을 이루고 산 삶이었다.

내가 결혼할 즈음 아버지는 택시회사에서 야간경비 겸 택시 세차를 했다. 허물어질 듯한 낡은 건물 한 귀퉁이가 사무실이었고 집이었다. 한국전쟁 직후에 지어진 시멘트 블록의 낡고 허술한 건물이었다. 벽 사이로 바람이 숭숭 들어왔다. 그곳에서 숙식을 해결했다. 방바닥도 없는 맨땅에 침상과 전기장판을 두고 생활했다.

주말마다 아내와 함께 아버지를 찾았다. 방에는 빈 소주병, 담배꽁초가 가득한 재떨이, 때가 찌든 옷가지들이 널려 있었다. 두통약 봉지들이 어지러이 널려 있었다. 병원 가서 검진 한 번 받으라고 해도 말을 듣지 않았다.

-내 몸은 내가 알지. 의사들이 무얼 아니. 걱정하지 말아라.

라며 고집을 썼다. 고집을 만드는 것은 두려움이었다.

'혹 큰 병이라도 들었을까? 그래서 자식에게 부담을 주면 어쩌지?'

라는 공포였다.

-아버지가 공들여 키운 아들이 공과대학을 졸업했어. '철강'에 대하여 연구하고 있어. 남들이 '그 사람이 철강에 대해 무얼 알아. 쇠는 사용하는 우리가 잘 알지!'라고 아버지 아들을 무시하면 좋겠어. 의사들도 힘들게 공부해서 그 자리에 있고 부모가 공들여 키운 자식이거야.

라는 말에 아버지는 이해했다는 듯이 고개를 끄덕였다. 그러고는 마지못해 검진받았다.

검진 후 며칠 지나서 아버지 회사 부장으로부터 전화가 왔다. 치매가 있다고 했다.

-더 이상 일하시기 힘들고 회사에서 생활해선 안 된다. 자꾸 괜찮다고 고집을 쓰신다. 아들이 모시고 가라.

아버지는 '괜찮다, 더 일할 수 있다.'라고 버티었다. 아버지를 반강제로 차에 태워 집으로 왔다.

아내의 의견을 구하지 않았다. 아버지를 모실 수 있는지 묻지 않았다.

결혼하면서 아내에게 말했다.

-나는 외아들이다. 아버지는 홀아비다. 자식은 나 하나뿐이다. 내가 모셔야 한다.

  라는 말을 했다는 핑계로 아내에게 부탁의 말도 하지 않았다. 아내는 묵묵히 받아들였다.

  그즈음 나와 아내는 주말부부로 지내고 있었다. 아버지를 아내에게 떠맡기다시피 하고 근무지로 갔다. 치매 앓는 아버지를 남편도 없이 딸아이와 단둘이 사는 아내에게 온전히 맡겼다. 아버지를 아내에게 버린(?) 것이었다. 가정의 포근함을 주지 못한 아버지에 대한 작은 복수였을 것이었다. 애틋함의 결여였을 것이었다.

  병원을 방문하여 1주일마다 받아야 하는 약물치료와 아버지 봉양은 온전히 아내 몫이었다.

  아내는 당연하다는 듯 불평 한마디 없이 받아들였다. 남편과 떨어져 있음에도 딸아이를 키우며, 홀시아버지의 치료를 위해 애썼다. 아버지는 부인 복은 없어도 며느리 복은 있는 듯했다. 며느리의 지극한 보살핌과 조기 치료 덕분에 아버지 병은 점차 나아지고 있었다.

  아침마다 출근길의 전화 통화가 아들로서 할 수 있는 전부였다. 아버지는 자랑하듯 그날그날의 일상을 이야기했다. 아파트 주변 공터에 채소를 심었다. 손녀와 함께 밭에 가서 싹 나는 콩을 보았다. 아이가 신기해하며 즐거워했다. 아버지의 일상은 나름 편안해 보였다. 다 나은 듯했다. 손녀와 아파트 주변과 학교 운동장을 걸으면서 운동을 한다고 했다. 출근길에 아버지와 나누는 통화 시간이 점점 더 길어졌다. 평온한 일상이 회복되고 있었다.

아버지는 시골에 땅을 사서 농사를 지으면서 살고 싶다고 했다. 객지 생활 이전에 첫 번째 여자와의 사이에서 아들을 낳고, 농사지으면서 살던 삶을 행복했던 삶으로 여겼다. 북에 두고 온 고향을 재현하고 싶은 간절함이 묻어났다. 기왕이면 아들이 근무하는 곳 가까운 곳에서 살고 싶다고 했다. 이곳저곳 왔다 갔다가 하면서 알맞은 땅을 알아보았다. 적당한 땅을 준비하였고, 농촌 생활에 대한 기대는 아버지를 꿈에 부풀게 했다.

나는 생각했다.

'이제 우리 가족의 삶에도 평안이 오는구나. 내 고등학교 시절, 아버지와 다시 함께한 생활은 수단이었다. 이번에는 좀 더 나은 포근함이 있는 가정이 되겠구나.'

아버지를 혼자 감당하는 아내에 대한 미안함도 줄어들 것이었다. 함께 지내면서 아버지를 모셔야 한다는 부담감은 있었다. 걱정보다는 기대가 더 크게 마음을 다스렸다. 아버지는 농사짓고, 회사에 다녀온 나는 일을 거들고 저녁 밥상에 술 한잔하는 아버지와 아들의 단란한 모습이 머릿속에 피어났다.

기대는 그저 기대일 뿐이었다. 아버지와 나의 바람을 비웃는 듯한 상황이 밀려왔다.

치매를 치료받던 병원에서 다른 증상이 있는 것 같다. 정밀 검사를 받아보라고 했다.

아버지는 폐암이었다. 의사의 말이 아득히 멀리서 들려왔다. '3개월' 머릿속이 하얘졌다. 세상이 멈추어졌다. 허허벌판에 혼자 서 있었다. 바람이 차가웠다. 아버지는 평생을 내게 불행의 그림자로 다가왔다. 아버지의 객지 생활은 귀환이 있었다. 이젠 귀환이 없는 길을 가게 될 것이었다. 돌아올 수 없는 길이 펼쳐지려고 하고 있었다. 내가 돌이킬 수 없는, 바꿀 수 없는, 돌아갈 수도 없는 길이 멀리 뻗어가고 있었다. 저 끝에 무엇이 있는지 알고 싶은 마음이 생길까 두려웠다.

시간은 갔다. 원하든 원하지 않든 흘렀다. 마음속에 거친 세월의 강물이 달려갔다. 인간이 아쉬울 뿐이지 세월은 두려움 없이 내달렸다. 시간은 내게 아무것도 해달라고 하지 않았다. 보채지도 않았다. 시간의 흐름에는 방해도 없고, 내가 아무리 무거운 짐을 지고 있어도 개의치 않았다. 겨울을 재촉하는 늦가을, 찬바람이 밀려가듯 싸늘함을 머금은 시간이 흘러갔다.

한 달 정도의 입원 후 의사는 나의 선택을 물었다. 계속 병원에 있을지, 퇴원할지를 정하라는 말이었다. 의사는 결정을 기다리며 내 얼굴을 쳐다보고 있었다. 그 짧은 시간, 머릿속 저 깊은 곳에서, 무언가 한없이 어디론가 떨어지는 것 같은 깊은 두려움이 밀려오고 있었다. 끝까지 떨어지면 아버지의 마지막 모습이 새겨져 있을 것이었다.

하루만큼의 시간이 흐른 듯했다. 선택해야 했다. 퇴원시켜 집으로 모시던, 서울 큰 병원으로 옮겨 더 치료해 보든지, 내가 결정할 몫이었다. 다른 이들의 위로나 충고는 모두 단지 입에서 나오는 공허함이다. 돈은 얼마나 필요한지, 병원에 모시면 아내가 또 혼자 간호해야 하는데 아이는 어떻게 해야 할지, 무엇을 어떻게 해드리는 것이 최선일까?

아버지의 죽을병은 내 현실적 상황 판단을 이겨 먹지 못했다. 냉정하게 현실을 보았다.

'가능성 없는 치료에 많은 돈 들일 필요 없다. 회복될 가능성이 희박한 병 치료에 돈 들이는 것은 아버지도 원하지 않는다. 병원비로 인하여 내 가정의 경제 여건이 궁핍해질 수도 있다.'

라는 나만을 위한 이기심이 판단의 기준이 되었다.

아버지를 퇴원시키기로 했다. 집에 병간호를 위한, 아니 호스피스 방을 마련했다. 누군가 무슨 말을 할지라도, 훗날 후회할지라도 지금 선택이 옳다고 나는 자기최면을 걸었다. 악화하는 아버지 병시중을 아내에게 맡기고 근무지로 갔다. 일상을 지내면서 회사 일이 바쁘다는 핑계로 토요일에만 집에 갔다. 갈 때마다 야위어 가고, 아픔이 커지

는 아버지를 보고 바로 다음 날 회사 출근해야 한다는 핑계 아닌 핑계
를 대고 도피했다.

아내는 아버지의 간호를 위해 할 수 있는 모든 것을 다 했다. 매일
매일 먹고 싶다는 음식을 해 바쳤다. 움직이지 못하는 시점이 되면서
부터 대소변까지 감당했다. 아버지 삶의 마지막까지 먹기, 옷 입기,
씻기, 배설까지를 아내는 홀로 견디어 냈다. 나는 아버지 마지막까지
한 번도 대소변을 받아본 적이 없었다.

아내는 다니지 않던 교회를 다녔다. 아버지를 위하여 기도한다고
했다. 아버지 고통의 누그러짐과 편안한 죽음을 위하여 기도하고 있
다고 했다. 매일 목사님이 방문해서 기도를 해주었다고 했다. 찬송가
를 불러 주면 마음이 편안해진 듯 아버지는 잠이 든다고 했다. 아버지
는 결혼 전 개척교회에 헌신했다. 젊은 시절 신께 헌신한 아버지에게
내린 축복이 며느리의 보살핌이었다고 아버지는 생각했을 것이었다.

아내는 처음 주말부부가 되었을 때 주위에서 농담처럼 말을 들
었다.

-전생에 무슨 좋은 일을 해서 주말부부가 되는 행운이 왔나.

라는 우스갯소리를 들었다고 했다. 처음 주말부부 1년은 결혼 10년
만에 다시 신혼 같은 설렘을 주었다.

1년도 지나지 않아 설렘은 봄날 눈 녹듯이 사라졌다. 치매에 걸
린 홀시아버지를 모시는 수난이 아내에게 닥쳐왔다. 폐암으로 시한부

인생을 선고받고 인생의 끄트머리에서 괴로워하는 홀시아버지를 아내는 열성을 다해 간호했다. 시아버지는 다시 며느리 손에 기대고 있었다.

아내는 결혼 전 남자 어른이 없는 가정에서 자랐다. 그럼에도 홀시아버지를 모시는 데 소홀함이 없었다. 아들도 하지 않는 호스피스 역을 감당했다. 호스피스에게 환자를 맡기면서 보호자인 아들은 '미안하다.', '부탁한다'라는 말 따위는 한마디도 하지 않았다. 고맙다는 말도 제대로 없었다. 그래도 호스피스는 제 일을 묵묵히 감당했다.

집으로 온 후 두 달 정도가 지나고 있었다. 아버지는 진통제를 찾는 횟수가 늘어나고, 복용하는 시간 간격이 점점 짧아져 가고 있었다. 고통을 참지 못하고 죽고 싶다는 말을 무의식 속에서 반복한다고 했다.

병원으로 모시는 것은 사치라고 믿었다. 어차피 더 이상 사실 수 없다는 내면 의식이 나를 지배하고 있었다. 병원에서 임종을 볼 생각은 하지도 않았다. 아버지 죽고 나서야 남들은 병원에서 임종하게 하려고 일부러 병원에 입원시킨다는 말을 들었다.

봄볕이 따스해지던 어느 토요일, 아파트 옆에는 공터에 파란 싹들이 돋아나고 있었다. 아버지는 치매를 앓으면서 지내던 시기에 소일거리 삼아 공터에 농사를 지었다. 여전히 그곳에도 풀들이 돋아나고 있었다. 아버지는 창밖의 봄을 느끼며 작년에 농사지었던 밭을 걱정했다.

-이제는 그 밭에 갈 수 없겠지. 봄에는 심고, 여름에는 가꾸고, 철이 지나 여물면 가을을 거두는 것인데 ……

아버지는 죽음을 감지하고 당신이 묻힐 곳을 당부했다.

- 내 형님 바로 아래에 부탁한다. 화장하지 말고 매장해다오.

'아버지 그건 내가 결정하는 거야.'라는 말을 삼키며 알았다고 나는 대답했다. 머릿속에는 처음부터 매장할 생각이 자리를 잡을 공간은 없었다. 매장이 옳고 화장이 틀리고 따위의 생각은 없었다. 그저 나 편하기 위함이었다. 현실적이지 못한 조상 모시기에 시간과 수고를 들이고 싶지 않았다.

유언 아닌 부탁을 하는 아버지를 보며, 굳건한 자기최면을 걸어 보름은 더 사실 것으로 나는 판단했었다. 부리나케 일터로 돌아가고 일에 더 집중했다. 일요일 저녁 일을 끝내고 직원들과 술을 마셨다. 술에 취해서 얼큰한 몸을 침대에 눕히려는 때 전화벨이 울렸다. 아내였다.
나쁜 예감은 머릿속에서 상상하는 대로, 염려하는 대로 펼쳐졌다.
-돌아가셨어. 보고픈 사람 다 보고 가셨어. 편안히 웃으면서 가셨어. 복을 준다면서 빈손을 모아 내게 건네셨어. 나에게 하나님 믿는 복

을 주신 모양이야.

아내는 사전에 장례 준비를 해놓고 있었다. 장례는 기독교식으로 치렀다. 조문객이 절도 못 하게 하고 술도 따르지 못하게 했다. 집안 어른들과 아버지 친구들이 고개를 저었다. '천하에 불효자'란 소리도 귓가를 스쳤다. 어려울 때 도와주지는 않았으면서, 절하고 술 한 잔 따르고 도리를 다한 양하려는 친지들의 모습이 나는 보기 싫었다.

아버지의 부탁과 친척들의 반대에도 아랑곳 없이 아버지를 화장 했다. 아버지의 부탁을 들어 주기 싫었다. 내가 겪은 삶의 고단함이 가 정을 제대로 꾸리지 못한 아버지의 책임이라 나는 여겼다. 자식을 제 대로 키우지 못하고 형에게 신세를 진 아버지였다. 죽어서도 형 옆에 묻히고자 하는 그 박약함이 진저리 쳐졌다. 묘지 관리도 나중에는 내 4촌 형이 하게 될 것이었다. 죽어서까지 아버지가 형의 신세를 지게 하는 것은 내 마음이 허락하지 않았다.

화장터에서 유골함을 들도 나오면서 울음이 복받쳐 올라왔으나 안으로 삼켰다. 울면은 모든 설움이 날아가고 아버지를 용서하는 표 식이 될 것 같았다. 분명히 불효자였다. 불효자이고자 했다. 유골을 봉안당에 모셨다. 가로, 세로, 폭 30센티도 안 되는 작은 상자가 안쓰 러울 정도였지만 나는 개의치 않았다. 아버지는 작은 상자에 들어갔 다. 큰어머니가 울면서 나에게 들으라는 듯 말했다.

- 이 좁은 상자 안에서 답답해서 어찌 있누?

죽은 사람은 답답함을 몰랐다. 아버지 죽은 후 제사 지내고 묘지 돌보아야 하는 내가 부담스럽고 답답했다. 죽은 사람은 서운함도 아쉬움도 느끼지 못할 것이었다.

제사도 지내지 않기로 했다.

큰 집에서 자라던 시절에 제사를 지낼 때마다 큰아버지가 술을 따르고 절하고 나면, 4촌 형들에 앞서 내가 먼저 술을 따르고 절을 했다. 객지에서 오지 못하는 아버지 대신이었다. 뒤에 서서 쳐다보는 4촌들도 처음에는 의아해했으나 횟수가 반복되고 시일이 지나면서 당연하다고 여겼다. 평소에는 잊고 지내던 '아버지 없음'이 제사로 인해서 내 머릿속에 되새김질 되고 있었다. 4촌 형제들에게도 나의 '아비 없음'이 각인되는 불편한 순간이었다. 그 불편함과 어색함은 아버지 없는 서러움으로 내 몸 안에 스며들었다.

아버지를 사랑했지만 좋아하지 않았다. 존경하려는 생각조차 해본 적도 없었다. 실패한 인생을 따르기 싫었다.

아버지 돌아가신 후 20년이 지났다. 이제 10년 후면 내 나이도 아버지 돌아가실 때의 나이가 될 것이었다. 세월과 어울려 아버지에 관한 생각도 바뀌어 갔다. 온전히 아버지의 책임으로 돌렸던 인생의 고단함은 어른이 되기 전까지였다. 그 후 내 삶의 질곡은 내 탓이지, 아버지의 책임은 아니라 여겼다.

아버지의 실패가 싫은 것이 아니라 나 자신의 실패가 두려웠었다. 세 번의 결혼 실패, 젊은 시절 외로이 떠돈 객지 생활, 궁핍한 생활, 아들에게 늘 미안하다고 말하던 태도가 싫었다. 그런 것들의 흔적이 내 안으로 밀고 들어오는 것이 두려웠다. 마음의 문을 걸어 잠갔다. 없는 자신감을 강제로 불어 넣으며 살았다. 누구도 믿지 않았다. 나 자신의 실력만을 추구했다. 다른 이들과 함께하는 삶, 함께 문제를 해결하는 태도를 추구하지 않았다. 혼자서 모든 것을 결정하고 감당했다.

아버지를 존경하지 않은 것이 아니라 나 자신이 아버지 인생처럼 될까 무서웠다. 결혼생활에 있어서 헤어짐은 가장 큰 두려움으로 내게 다가왔다. 집사람과 다투고 나면 아내가 아버지의 여자들처럼 행동할 수도 있다는 두려움이 나를 감쌌다.

아버지의 마지막을 지킨 내 아내는 늘 불안해하는 남편을 이해하고 감쌌다. 아내 덕분에 아들은 아버지처럼 되지 않았다. 아내 덕분에 내 결혼이 실패하지 않았다. 그런 아내를 선택하도록 아들을 낳아 교육했으니, 그것만으로도 아버지는 나름 할 몫을 다했다.

아버지가 낳고 보살핀 아들이 실패하지 않았으니 아버지 삶 또한 실패하지 않았다. 아버지의 삶과는 다르게 살아야 한다는 목표를 아들은 이루었다. 아버지 인생을 타산지석, 반면교사 삼았다. 아버지가 아들에게 준 유산이었다.

다시 아픈 아버지가 옆에 있다면 돈이 들더라도 여한이 없게 큰 병원으로 모시고 싶었다. 그럼 혹시 치료할 수 있을지도 모를 일이었다. 아니 치료되었을 것이었다. 마음속에 작은 위안이어도 좋았다. 이제 그립고, 사랑하는, 존경하는 아버지가 되어 마음속으로 다가왔다.

가을을 받아 하늘이 눈부신 청색으로 밝아지고, 강한 햇빛이 형제섬을 멀리 밀어내고 있었다. 형제섬과 해안 사이에 출렁이는 황금빛이 펼쳐졌다. 바다에 황금물결을 수 놓았다. 형제섬과 내 거리가 가까워지고 있었다. 물비늘이 뿌린 금빛 가루가 바닷가로 흩어졌다. 바위에 마주 닿아 번지는 물보라가 눈물방울과 어우러졌다.

눈 앞에 펼쳐지는 바다 화폭에 가족이 그려지고 있었다. 아내가 손을 흔들고, 딸아이가 해맑은 웃음을 띠고 아빠를 부르고 있었다. 달려가 아이를 안는 활기찬 내 모습이 어른거리고 있었다. 아이가 웃음을 띤 얼굴로 귓가에 속삭였다. 결혼하겠다고 한다. 아이도 낳아 키우겠단다.

[더 나은 내일을 위한 동행]
To.아버지
아버지 세 글자는 제 인생에서
든든한 버팀목과 믿음이란 두 글자의
표본이었습니다.
10대 큰 폭은 있었지만

끊어지지 않게 하심에 감사하고

앞으로의 20대 열심히 살겠습니다.

잘 키워주셔서 감사합니다.

사랑해요.

아빠

아버지 흔적이, 마음이 이어져 내려오고 있었다. 아버지의 애틋함이 내 딸에게로 스며들었다. 아버지의 온화한 얼굴이 우리 가족을 감싸 안아 주고 있었다. 그렇게 웃으며 아버지가 서 있었다. 파도에 밀려 깨어지고, 모여져 떠오르기를 되풀이하며 그림이 가슴으로 밀려왔다.

아버지의 죽음은 우리 가족구성원의 생각을 바꾸었다. 우리 가족은 떨어져 살지 않기로 했다. 아내와 딸아이도 내 직장 근처로 옮겼다. 아이가 외국 유학을 갈 때도 아이 혼자만 보내고, 아내는 동행하지 않았다.

아내는 입버릇처럼 말했다.

-인생 얼마나 산다고 떨어져 살아. 우리 하늘 아래 단 세 식구인데 늘 함께 삽시다. 시골이어서 좀 불편해도 함께 지내는 것이 더 행복한 거야. 즐거워도 함께하고, 슬플 때는 같이 보듬고, 힘들면 도우면서 함께 합시다.

아버지를 보살핀 아내의 예쁜 마음씨에 감사한다. 이런 아내와 함께한다는 것은 아버지가 남겨준 유산이었다. 아버지의 마음이, 웃음이, 사랑이 우리 가정을 지켰고, 우리 가족에게 축복과 은혜를 선사했다. 아버지가 남겨준 삶의 유산이 아내에게 주는 아버지의 복이었다. '며느리에게 복주기'를 대신할 이가 아들인 나인 것이었다.

해가 구름을 뚫으며 높이 솟았고 섬 그림자를 지우고 있었다. 물이랑, 고랑의 명암이 사그라들고 있었다. 점점 더 뚜렷해지는 그림들이 바다에 사진처럼 선명해지고 있었다. 세찬 바람도 거친 파도도 흔들 수 없도록 화폭이 팽팽해지며 고요함으로 울타리를 만들어 갔다. 아버지가 내려준 사랑, 안녕, 평화를 견고히 지켜주고 있었다.

이제 형제섬은 나, 아내 그리고 딸아이, 우리 가족 사진이 되어 마음속에 남았다. 아버지의 큰 미소가 바탕 화면이다.

조용하게 눈에 띄고 싶어

발행 2024년 1월 10일
지은이 이새봄, 전현우, 여지원, 이재선, 이지현, 강라연, steel LEE
라이팅리더 현해원
디자인 윤소현
펴낸이 정원우
펴낸곳 글ego
출판등록 2019.06.21 (제2019-67호)
주소 서울시 강남구 강남대로 118길 24 3층
이메일 writing4ego@gmail.com
홈페이지 http://egowriting.com
인스타그램 @egowriting

ISBN 979-11-6666-436-6